# LA BARCA DEL TIEMPO
Antología poética

CRISTINA PERI ROSSI

# LA BARCA DEL TIEMPO

## Antología poética

Selección y prólogo de Lil Castagnet

VISOR LIBROS

VOLUMEN CMLXVII DE LA COLECCIÓN VISOR DE POESÍA

1.ª edición, 2016

2.ª edición, 2019

Fotografía de cubierta: Claudia Magliano

© Cristina Peri Rossi

© VISOR LIBROS
Isaac Peral, 18 - 28015 Madrid
www.visor-libros.com

ISBN: 978-84-9895-967-3
Depósito Legal: M-32022-2016

Impreso en España - Printed in Spain
Gráficas Muriel. C/ Investigación, n.º 9. P. I. Los Olivos - 28906 Getafe (Madrid)

# PRÓLOGO

El poeta, dramaturgo y novelista francés, Jean Cocteau, dijo: "la poesía es indispensable, pero no sé bien para qué".

Quizás la mejor respuesta a este interrogante de Cocteau se la podrían haber dado los románticos, los simbolistas y los modernistas para los cuales la poesía es emoción. Nadie que haya leído la poesía de Cristina Peri Rossi puede sustraerse a ella. Si algo define su poesía es el nivel altísimo de intensidad y emoción en cualquiera de sus registros. El estilo de Peri Rossi abarca todos los estilos, desde la alegoría a la ironía, desde el desgarro al lirismo, desde el misticismo al humor, su poesía puede ser descriptiva, narrativa o alegórica, pero siempre se percibe un grado de sensibilidad, de transgresión y maestría en el manejo de las palabras que conducen inexorablemente a la emoción. Dos constantes, sí, permanecen: el ritmo musical de cada verso, de una gran sonoridad, y la precisión: cada palabra de su poesía, sea en el poema largo o en el breve, es completamente imprescindible, no se puede ni quitar ni agregar nada.

La escritora mexicana Elena Poniatowska, en el prólogo que realizó a uno de sus libros, escribió: "Cada vez que leo a Cristina Peri Rossi me dan ganas de hacer el amor. Leerla es una invitación al placer".

El libro que abre esta antología *Evohé*, escrito en el año 1971, en su Uruguay natal, encierra la clave de casi toda su poesía: el erotismo, la exaltación libidinal y de la palabra, la

7

metafísica del amor, la trascendencia de la voluptuosidad, y también la ironía, el Eros y el Thanatos, la pulsión de amor y muerte, la desdramatización, a través del humor, de los efectos devastadores de la pasión amorosa. *Evohé* es un libro ardiente y también solitario donde el erotismo atraviesa cada poema con una transgresión, en un juego de gran destreza en el que la existencia de la mujer se funde y se confunde con la existencia de la palabra. Todo el libro es un juego de suplantaciones entre la palabra y la mujer y uno no llega a percibir quién es la amada o la abandonada, quién la acariciada o la aborrecida, con cuál de ambas se hace el amor: *"Las mujeres son todas pronunciadas/ y las palabras, son todas amadas".*

Esta transversalidad del deseo, está presente en el resto de su poesía, especialmente manifiesta en *Otra vez Eros*, libro que abre con una cita de Safo: *"otra vez Eros que desata los miembros/ me tortura/ dulce y amargo/ monstruo invencible"*, en *Babel Bárbara* o en *Estrategias del deseo*. "El erotismo es el camino que lleva a la eternidad, a la trascendencia", escribía la autora en su prólogo de *Poesía Reunida*, editada por Lumen en 2005.

Nada de lo humano le es ajeno a la escritora. A pesar de su ateísmo o agnosticismo podríamos afirmar que hay una sacralización del deseo: *"Cuando entro/ y estás poco iluminada/ como una iglesia en penumbra"*.

Pero si, como bien afirmaba Octavio Paz, "el erotismo está en toda la poesía", porque fundamentalmente el erotismo está en la palabra, hemos de decir que hay otra vertiente que caracteriza la literatura de Cristina Peri Rossi y es la del exilio. No sólo en *Descripción de un naufragio* (Lumen, 1975), escrito en Montevideo en 1972, (año en el que se exilia y en el que fueron prohibidos en Uruguay todos sus libros) o en el poemario ganador del XVIII Premio Internacional de Poesía Rafael Alberti, *Estado de Exilio* (Visor, 2003) —que comienza con un poema de una fuerza y un simbolismo singular: *"Tengo un dolor aquí/ del lado de la patria"*—, sino también lo vemos en su narrativa, *Indicios Pánicos*, o en su novela *La nave de los locos*. Todos estos libros con el tema en común del exilio es una alegoría en verso o en prosa de una ruptura, una separación, pero también alegoría de una supervivencia. Y a él se enfrenta con tres estilos completamente distintos: por un lado la emoción y la dureza contenidas, por otro la ironía y el sarcasmo, pero, también, con la alegoría, la mayor de las construcciones poéticas y que ella revitaliza sabiamente. En todos coexiste un sentimiento idéntico : el desgarramiento.

Etimológicamente la palabra *ex* significa que ya no se es, el que ya ha dejado de ser, el que ha perdido la identidad. El extranjero. Precisamente así comienza una de sus grandes novelas *La nave de los locos* : *"Extranjero. Ex. Extrañamiento. Fuera de las entrañas de la tierra. Desentrañado: vuelto a parir"*. Pero como bien afirmaba la autora a propósito de *Diáspora*, libro editado por Lumen en 2001, "de todas las catástrofes, incluida la del exilio, nos salva la libido. Nada se ha perdido definitivamente mientras no se haya perdido el impulso libidinal".

No podemos dejar de mencionar la importancia que tienen otras manifestaciones artísticas en su obra, con múltiples alusiones a la música, fotografía, cine y muy especialmente a la pintura. Por este motivo creímos oportuno incluir, por primera vez en una antología suya, el libro "Las musas inquietantes". La mirada de la autora sobre los cuadros que describe no son solo de una turbadora belleza sino que a su vez nos regala en su narración poética, una interpretación posible, una manera diferente de conocer y contemplar esa otra forma del arte. *"El niño/ que fuimos/ grita/ solo… un paso atrás de la conciencia/ en los cielos rojos/ inflamados…* (*El grito*, Edvard Munch).

En su último libro *La noche y su artificio*, que cierra esta antología, la autora utiliza un lenguaje directo y a veces lírico, y de denuncia social como en el poema "Condición de mujer"… *"deshechas, reventadas, violadas/ maltratadas, heridas, reventadas (…) salvajes, consumidas";* otras veces la emoción es melancólica o nostálgica porque la poeta está, otra vez, en lucha contra la fugacidad, tratando de atrapar lo efímero para plasmar en un verso y perpetuarlo en él, como en el poema Detente instante, eres tan bello*: "al inclinarme sobre tu cuerpo/ al besar tu sonrisa/ al encender tus senos como faros de Alejandría/ dije: 'detente instante, eres tan bello' (…) y todo en mí era aspiración/ la aspiración de retener lo pasajero/ el ímpetu de atrapar lo fugitivo".*

Cristina Peri Rossi no usa heterónimos para sus cambios de estilo, como Fernando Pessoa, ni esa multiplicidad la inquieta como a Alejandra Pizarnik *("no hablo con mi voz, hablo con mis voces"),* sino que forma parte de su múltiple identidad y de su estética: *"escribo con el estilo de la emoción que quiero suscitar".*

Esta antología abarca 44 años de la poesía de Cristina Peri Rossi, desde 1971 a 2015, desde *Evohé* —que causó un escándalo en su publicación, en Montevideo—, hasta *La noche y su artificio* podríamos afirmar sin ningún tipo de dudas que su poesía, de una rabiosa vigencia y actualidad, ha marcado una época, como ella misma ha manifestado en alguna ocasión *"creo que la expresión del deseo (una mujer deseante, no objeto) y el empleo de la ironía y del humor, han tenido gran influencia en la poesía que se ha hecho en España en los últimos veinte años".*

Esta antología tiene la pretensión de descubrir su universo, una mirada distinta y enriquecedora de la realidad, una posible interpretación del mundo, del sueño y de la metáfora y mostrar un amplio abanico de esa expresión del arte nacido del amor a la palabra, de su conocimiento de lo humano y de lo vivido. No ha sido fácil la selección, porque, como decía la psicoanalista Karen Horney, "elegir es renunciar" y en este caso ha sido muy doloroso desprenderse del resto de los poemas no incluidos.

Espero que gocen con su lectura (en el goce hay dolor y placer) porque en la poesía de Cristina Peri Rossi, como en el arte, la vida se organiza mejor.

LIL CASTAGNET
Barcelona, 24 de abril de 2016

## LOS HIJOS DE BABEL

Dios está dormido
y en sueños balbucea.
Somos las palabras de ese Dios
confuso
que en eterna soledad
habla para sí mismo.

(De *Babel bárbara*, 1991)

# EVOHÉ
(1971)

# VÍA CRUCIS

Cuando entro
y estás poco iluminada
como una iglesia en penumbra
Me das un cirio para que lo encienda
en la nave central
Me pides limosna
Yo recuerdo las tareas de los santos
Te tiendo la mano
me mojo en la pila bautismal
tú me hablas de alegorías
del Vía Crucis
que he iniciado
—las piernas, primera estación—
me apenas con los brazos en cruz
al fin adentro
empieza la peregrinación
muy abajo estoy orando
mento tus dolores
el dolor que tuviste al ser parida
el dolor de tus seis años
el dolor de tus diecisiete
el dolor de tu iniciación
muy por lo bajo te murmuro entre las piernas
la más secreta de las oraciones
Tú me recompensas con una tibia lluvia de tus entrañas

y una vez que he terminado el rezo
cierras las piernas
bajas la cabeza

     cuando entro en la iglesia
           en el templo
           en la custodia
   y tú me bañas.

Leyendo el diccionario
he encontrado una palabra nueva:
con gusto, con sarcasmo la pronuncio;
la palpo, la apalabro, la manto, la calco, la pulso,
la digo, la encierro, la lamo, la toco con la yema de los
    dedos,
le tomo el peso, la mojo, la entibio entre las manos,
la acaricio, le cuento cosas, la cerco, la acorralo,
le clavo un alfiler, la lleno de espuma,


después, como a una puta,
la echo de casa.

La mojo con un verso,
y ella, húmeda de mí,
rencorosa, me da la espalda.
Le digo que prefiero las palabras,
entonces se burla de ellas con gestos obscenos.
La persigo por el cuarto
empujándola con una letra aguda y afilada,
ella se defiende con una cancioncilla mordaz.
Cuando damos el combate por finalizado,
tiene el cuerpo lleno de palabras
que sangran por el cuarto
y así, desnuda y herida,
con el cuerpo lleno de señales
le tomo una fotografía.
Un día seré una escultora famosa,
y ella posará para mí,
muerta de palabras,
llena de letras como despojos.

En las páginas de un libro que leía, perdí una mujer.
En cambio, a la vuelta de la esquina, he hallado una palabra.

Las mujeres son todas pronunciadas,
y las palabras, son todas amadas.

Silencio.
Cuando ella abre sus piernas
que todo el mundo se calle.
Que nadie murmure
ni me venga
con cuentos ni poesías
ni historias de catástrofes
ni cataclismos
que no hay enjambre mejor
que sus cabellos
ni abertura mayor que la de sus piernas
ni bóveda que yo avizore con más respeto
ni selva tan fragante como su pubis
ni torres y catedrales más seguras.
Silencio.
Orad: ella ha abierto sus piernas.
Todo el mundo arrodillado.

# DESCRIPCIÓN DE UN NAUFRAGIO
## (1975)

Blanca.
          Si espuma,
          si paloma.
Echada desde siempre
                    en un acceso de la playa
          región de los espíritus
          donde se dan cita las arenas
          y tiembla el viento entre los árboles.
          Tiembla el viento y las arenas cantan.


Como si toda la calma del mundo
se hubiera alojado en su cuerpo, sobre su piel,
para tenerla así,
                    muda,
                    blanca,
                    estacionada,
                    aliviada del tiempo
                    de citas y de ciudades.


Monda. Lisa e imberbe como una estatua,
          sin más vello que una leve pelusa en el pubis,
          como una brisa,
          donde quedan atrapados los labios
          el viento la tarde el calor y el llanto.
          —Agua salada que bebí entre sus piernas—.


Impenetrable.
          Sacudida por el aire

que sube y baja de su cuerpo
    como a un junco contoneándola,
sin que ella lo sienta,
sin que ella suspire,
sin que ella gima o responda.
Mojada por la lluvia
que goteó una y otra vez sobre su piel
abriéndole los poros como puertas
    —por donde toda mar entró—.

Ajena.
    Aislada de los deliciosos vicios
de las noches de luna
y de los vicios inquietantes de los mediodías
de amantes sin reloj.
Aislada de los deliciosos vicios
de las noches suspectas
que la hallaron sola junto al mar
y echada
a expensas de las aguas,
a expensas de las algas
y de los peces que arribaban
acechándola.

Instalada en la casa
            como  el fuego del hogar
            como un antepasado mudo
            que ya no viene a visitarnos,
        como la madre y la hija.
            Y amada por mí
            como si ella solo fuera al mismo tiempo

la madre deseada
la hija ardiente.

Como si ella sola fuera al mismo tiempo
la madre que amé una noche de estío
cuya hija amé toda la vida.

Lacrada.

Cerrada para mí como un secreto,
como la ostra de filosos labios
que me hiriera los dedos
la cara las manos la voz
el pensamiento y los sueños.
Cerrada como una urna.
Como una cripta.

Sagrada.

Inviolable como una diosa
a cuyo altar yo llevara ofrendas todos los días
—ramas de pinos, flores de laurel,
los frutos del árbol ópimo,
la miel, la música, los versos—
dejando, detrás,
una hilera de homenajes vanos.

Inmóvil,

fija en el tiempo
como una estatua,
tan quieta que parece muerta,
sólida,
inquebrantable,

resistente a todos los asedios,
indestructible,
mira indiferente amarse a las parejas,
imposeíble,
incapaz de desalojarla de mí,

y tan sola, que a veces me da lástima.

No fue nuestra culpa si nacimos en tiempos de penuria.
Tiempos de echarse al mar  y navegar.
Zarpar en barcos y remolinos
huir de guerras y tiranos
al péndulo
a la oscilación del mar.
El que llevaba la carta se refugió primero.
Carta mojada, amanecía.
Por algún lado veíamos venir el mar.

# ESCORADO

Mirándola dormir
dejé que el barco se inclinara
lentamente hacia un costado
precisamente el costado
sobre el que ella dormía
apoyando apenas la mejilla izquierda
el ojo azul
la pena negra de los sueños
y por verla dormir
me olvidé de maniobrar
pensando en las palabras de un poema
que todavía no se ha escrito
y por ello
era el mejor de todos los poemas
tan sereno
tan sutil como su piel de mujer casi dormida
casi despierta,
tan perfecto como su presencia inaccesible
sobre la cama,
proximidad engañosa de contemplarla
como si realmente pudiera poseerla
allá en una zona transparente
donde no llegan las sílabas orando
ni el clamor de las miradas
que quieren acercarse
en la falsa hipócrita intimidad de los sueños.

P
o
r
que
todo
ha sido
peregrinar
las calles
subterráneas
rías del alma
patios del mundo
huido de la tierra
perseguido por amos
crueles y sus lacayos
a los sótanos marinos
donde evocar la dulce
tibia amarra de los míos
a sotavento de los sueños
y las nostalgias más tristes
Habíamos perdido la carrera
por ruta desigual y despareja
desde atrás venían perros palos
policías pólvora y gobernadores
terrible conspiración de poderosos
nos lanzara al mar, que es el morir

p
or
que
soy así
de vino
tan triste
los amigos
guardan mis
espaldas del
mar, del mal.
Porque soy así,
de vino triste,
los amigos guardan
mis espaldas del mar.

p
o
r
q
ue
despenados, afligidos por crueles tragedias cotidianas
—la sombra de aquel hambriento que se colgó del árbol
los gritos de los prisioneros en las celdas sin luz
las lamentaciones de las madres, huérfanas de hijos—
a sotavento de los sueños más caros imposibles
prendimos la nao de las navegaciones infinitas
navegamos por el húmedo mar de los sargazos
en ruta sin derrota, perecedera,
hasta el fondo del mar, donde
yace la sombra de los justos.

# Diáspora*
## (1976)

* Este libro obtuvo el Premio de Poesía Ciudad de Palma en 1975.

Todo el día estuve mirando la color
Del día estuve mirando la color
Todo el día          la color
Día                  mirándola
        Todo
La estuve mirando el día entero
Su color miraba
La

Con oscuro rumor
desaparece
como la ola
Un viento
va detrás

Con oscuro rumor
y un viento
va detrás

Llena el mundo
y un viento
va detrás

Con humor oscuro
y voy detrás

Yo la amaba
   la miraba
   la amuraba
   la moraba
   la habitaba
   la hablaba
   la jalaba
   la muraba
   la bariba
   la
      gran
         mora.

# CAUTIVERIO

Ah qué mórbida
te mueves
puma
pugnas
por atravesar
la jaula del jardín
donde te he encerrado
entre espejos fríos

para que no te vayas,
para hacer poesía.

Si el lenguaje
este modo austero
de convocarte
            en medio de fríos rascacielos
y ciudades europeas
Fuera
        el modo
de hacer el amor entre sonidos
o el modo
de meterme entre tu pelo

Primitiva participas del rito de la palabra
como si fuera un juego
ceremonia de bacantes ebrias
Balbuceas el nombre de los dioses más secretos
con penetrante voz de hereje
y cuando cae la noche de los significados
        bailas una danza macabra junto a los ídolos caídos.

Desde la prehistoria
vienes cargada de símbolos
sobrecogidos de significados
cuya pesada carga
es difícil desmontar
como las vértebras
de un calcinado
              animal mitológico.

Mitológica estáis
de moradas meretrices
que muerden tu piel
tu fantástica matriz
        —Penélopes tristes,
        Helenas desgonzadas—
historias salmodiadas
por magos prostibularios.
Está dicho
es sabido
mal hacen los Homeros,
los Góngoras y Quevedos
a las púberes efebas.

Por cada mujer
que muere en ti
majestuosa
digna
malva
una mujer
nace en plenilunio
para los placeres solitarios
de la imaginación
traductora.

No quisiera que lloviera
te lo juro
que lloviera en esta ciudad
sin ti
y escuchar los ruidos del agua
al bajar
y pensar que allí donde estás viviendo
sin mí
llueve sobre la misma ciudad
Quizás tengas el cabello mojado
el teléfono a mano
que no usas
para llamarme
para decirme
esta noche te amo
me inundan los recuerdos de ti
discúlpame
la literatura me mató
pero te le parecías tanto.

No podía dejar de amarla porque el olvido no existe
y la memoria es modificación, de manera que sin querer
amaba las distintas formas bajo las cuales ella aparecía
en sucesivas transformaciones y tenía nostalgias de todos los
    lugares
en los cuales jamás habíamos estado, y la deseaba en los
    parques
donde nunca la deseé y moría de reminiscencias por las
    cosas
que ya no conoceríamos y eran tan violentas e inolvidables
como las pocas cosas que habíamos conocido.

# DIÁSPORA

Con la túnica larga
que le compraste a un marroquí en Rabat
y ese aire dulce e impaciente
que arrastras por la plaza
las sandalias sobre el polvo
el pelo largo
bajo la túnica nada
si se puede llamar nada a tu cuerpo
quemado por los soles de Rabat
más la pasión que despertaste en un negro en las calles de
        Cadaqués
que no son calles
sino caminos de piedra
y olímpica te sentaste en el bar hippy
rodeada de tus amigos de túnicas y pelos largos
a beber oporto y fumar hachís
ah qué melena te llovía sobre los hombros esa tarde en
        Cadaqués
con aquellas ropas que desafiaban las normas
pero eran otras normas
las normas de la diferenciación
de acuerdo
cambiemos un burgués por otro
ah qué túnica arrastrabas sobre las piedras
peregrinación como aquélla

solamente Jesucristo la emprendiera
Nada tenía que hacer en Cadaqués más que mirarte a los ojos
mientras tú viajabas en hachís en camellos casi blancos de largas
    pestañas
que acariciaban como los ojos de una doncella
sé que te gustan las mujeres
casi tanto como los negros
casi tanto como los indios
casi tanto como te gustan las canciones de Barbara
yo no tenía nada que hacer en Cadaqués
más que seguirte la pista
como un perro entrenado
buscarte
calles empinadas
casas blancas
el sol del Mediterráneo
viejo sol
cálido sol
ah no me mires así
te perdí en Rabat
te busqué en barca
pequeño Cadaqués
las niñas pálidas que fuman hachís y pasean en camellos de
    larga pestañas
que acariciaban como los ojos de una doncella
sé que te gustan las mujeres
casi tanto como los negros
casi tanto como los indios
casi tanto como te gustan las canciones de Barbara
yo no tenía nada que hacer en Cadaqués
más que seguirte la pista

como un perro entrenado
buscarte
calles empinadas
casas blancas
el sol del Mediterráneo
viejo sol
cálido sol
ah no me mires así
te perdí en Rabat
te busqué en barca
pequeño Cadaqués
las niñas pálidas que fuman hachís y pasean en camellos de
    largas pestañas
en el maldito bar de hippies
no me dejaron entrar
juré que no tenía cuenta bancaria
es cierto
¿Cómo explicarles el azar?
No tengo auto
no tengo televisor
no tengo acciones ni crédito bancario
por casualidad
el viento me trajo a Cadaqués
estoy buscando a la niña de la túnica larga
la que paseaba por las calles
como Jesucristo
y va dejando atrás
negros borrachos
amigos muertos
y un roce de sandalias
Tus amigos

no me dejaron entrar al bar
el agua había caído toda la tarde
me preocupé por tu pelo
tu cabello mojado
hay que ser cuidadosa
me desvelo por ti
el campanario dio otro cuarto
¿estarías escondida en el confesionario?
Ah Barbara
no me mortifiques deja a esa niña en paz
quiero verla caminar por Cadaqués
y tener un estremecimiento de címbalo
vibrar en el aire
como el agudo de un vaso
Ah Mediterráneo
suelta a esa niña
déjala bogar en mi memoria
su fascinación de túnica pálida
el silencio que envuelve su paseo por las plazas
la fricción de sus sandalias
suavemente sobre el polvo
convienen más a mi memoria
que a tu historial de aguas
En Cadaqués un pájaro negro se paseaba
tan negro como un cuervo
tan gris como el reflejo del Mediterráneo en las ventanas
aquella tarde que llovía en Cadaqués
y con paso ligero pero digno
con velocidad y nobleza
—sin dejar de caer los tules ni los chales—
como reinas que huyen majestuosamente

las barcas volvían de sus citas
al amarradero de la playa
Y mientras te buscaba
observé que el famoso altar de la iglesia
era un poco recargado
un problema de formas excesivamente hinchadas
un embarazo eterno
algo difícil de largar
Demasiado oro para mí
mientras sólo dos viejas comulgaban
y una pareja de hippies observaba la ceremonia
con delectación no exenta de ironía
—una cultura de rituales—
y maldito sea
¿es que no se te había ocurrido refugiarte en la iglesia
en el altar mayor recargado de oro y púrpura
esa tarde que llovía en Cadaqués
protegiéndote de la tramontana?
de modo que salí
justo a tiempo para escuchar que desde un lugar
salía una música
salía una música
que te juro no era Barbara cantando Á peine
una música y un cantor que venían de lejos
de un país que tú no conocías y era mi país
el país abandonado en diáspora
el país ocupado por el ejército nacional
una música y un cantor que yo había escuchado en mi
    infancia
que no fue una dorada infancia en Cadaqués con paseos en
    barca

—Marcel Proust—
y pesca submarina
y Barbara ya no perseguía a la niña de túnica larga
y tuve frío por primera vez en Cadaqués
y cuando alguien me habló en francés
le contesté hijo de puta
y cuando vi a dos hippies abrazados les grité hijos de puta
y cuando una holandesa me preguntó algo mostrándome
      un mapa en su delicada mano
le dije hija de puta
y ya no estabas en Cadaqués
lo juro,
todas las túnicas eran túnicas sucias
y nadie usaba sandalias
y me son indiferentes todas las mujeres
todas las tierras
todos los mares,
Mediterráneo, poca cosa,
Cadaqués, piedra sobre piedra,
tú,
nada más que una niña muy viciosa.

# ESTADO DE EXILIO*
## (2003)

---

* Este libro obtuvo el XVIII Premio Internacional de Poesía Rafael Alberti y fue publicado en 2003, aunque fue escrito entre 1973 y 1975 (N. de la A.)

Tengo un dolor aquí,

       del lado de la patria.

Soñé que me iba lejos de aquí
el mar estaba picado
olas negras y blancas
un lobo muerto en la playa
un madero navegando
luces rojas en altamar

¿Existió alguna vez una ciudad llamada Montevideo?

Una vez emprendimos       pájaro
el vuelo
por eso           continente
nos son ajenos
todos los viajes
todas las tierras
tránsito

Del viajero tenemos
la geografía insensata
el acaso del vuelo
—pájaro acosado—
perdemos lo que ganamos
y lo ganado
se perdió en el vuelo.

De país en país
el exilio
es un río
ciego.
Vagan por las calles
no aprendieron todavía el idioma
nuevo
escriben cartas
que no mandan
un año
les parece
mucho tiempo.

## ESTADO DE EXILIO

muy pronto tan lejos bastante mal

                                        siempre

dificultad palabras furiosa largo
extraño extranjero qué más el árbol
sólo miro diferente

todo
      fuera más humano

# CARTA DE MAMÁ

Tía Ángela pregunta por ti
cada vez que viene de visita
y yo contesto con evasivas
¿o se dice evasiones?
El gato saltó por la ventana
y desapareció
cosas de gatos
cosa de personas
La helada quemó todos los árboles
sólo un limonero sobrevivió
solitario en medio de la tempestad
Nos dijeron  que con el nuevo general
las cosas iban a cambiar
pero si algo cambió
fue para peor
El almacenero de la esquina murió
un infarto o una embolia
tu abuela Maruja siempre con las varices
y tu hermana con la úlcera
Me pregunto si por allí estará lloviendo
a veces cuento las horas de diferencia
el asunto de los hemisferios
No te olvides de nosotros
que te queremos tanto.

## LOS EXILIADOS

Persiguen por las calles
sombras antiguas
retratos de muertos
voces balbuceadas
hasta que alguien les dice
que las sombras
los pasos las voces
son un truco del inconsciente.
Entonces dudan
miran con incertidumbre
y de pronto
echan a correr
detrás de un rostro
que les recuerda otro antiguo.
No es diferente
el origen de los fantasmas.

Y vino un periodista de no sé dónde
a preguntarnos qué era para nosotros el exilio.
No sé de dónde era el periodista,
pero igual lo dejé pasar
El cuarto estaba húmedo estaba frío
hacía dos días que no comíamos bocado
sólo agua y pan
las cartas traían malas noticias del Otro Lado
"¿Qué es el exilio para usted?" me dijo
y me invitó con un cigarrillo
No contesto las cartas para no comprometer a mis
parientes,
"A Pedro le reventaron los dos ojos
antes de matarlo a golpes, antes,
sólo un poco antes"
"Me gustaría que me dijera qué es el exilio para usted"
"A Alicia la violaron cinco veces
y luego se la dejaron a los perros"
Bien entrenados,
los perros de los militares
fuertes animales
comen todos los días
fornican todos los días,
con bellas muchachas con bellas mujeres,
la culpa no la tiene el perro,
sabeusté,
perros fuertes
los perros de los militares,

comen todos los días,
no les falta una mujer para fornicar
"¿Qué es el exilio para usted?"
Seguramente por el artículo le van a dar dinero,
nosotros hace días que no comemos
"La moral es alta, compañero, la moral está intacta"
rotos los dedos, la moral está alta, compañero,
desaparecida la hermana, la moral está alta, compañero,
hace dos días que sólo comemos moral,
de la alta, compañero,
"Dígame qué es el exilio, para usted"

El exilio es comer moral, compañero.

## CABINA TELEFÓNICA 1975

El exilio es tener un franco en el bolsillo
y que el teléfono se trague la moneda
y no la suelte
—ni moneda, ni llamada—
en el exacto momento en que nos damos cuenta
de que la cabina no funciona.

Extrañan
el ritmo de las ciudades
el cielo opaco lleno de humo
el canto de los pájaros
extrañan el paso de las horas
el calor y el frío
a veces dicen una palabra por otra
y se asustan
cuando descubren que olvidaron
el nombre de una calle.
Se exilian de todas las ciudades
de todos los países
y aman las imágenes de los barcos.

Sueñan con volver a un país que ya no existe
y que no reconocerían más que en los mapas
de la memoria
mapas que confeccionan cada noche
en la niebla de los sueños
y que recorren en naves blancas
perpetuamente en movimiento.

Regresan todos los días en el vuelo
de pájaros que se pierden
del cielo de sus ojos
o regresan en caballos alados,
de crines como llamas.

Si volvieran
no reconocerían el lugar
la calle, la casa
dudarían en las esquinas
creerían estar en otro lado.

Pero vuelven cada noche
en las naves blancas de los sueños
con rumbo seguro.

# EL ARTE DE LA PÉRDIDA
## *(Elizabeth Bishop)*

El exilio y sus innumerables pérdidas
me hicieron muy liviana con los objetos
poco posesiva
Ya no me interesa conservar una biblioteca numerosa
(*vanidad de vanidades*)
ni colecciono piedras
botellas cuadros
encendedores
plumas fuentes —así llamaban en mi infancia
las codiciadas e inasequibles estilográficas
*Parker y Mont Blanc*—
ni necesito un amplio salón para escribir
al abrigo de los ruidos de la calle
y de los ruidos interiores.

El exilio y sus innumerables pérdidas
me hicieron dadivosa
Regalo lo que no tengo —dinero, poemas, orgasmos—
Quedé flotando —barco perdido en altamar—
con las raíces al aire
como un clavel sin tronco donde enlazarse.

El exilio y sus innumerables pérdidas
me hicieron dadivosa

Regalo lo que no tengo —dinero, poemas, orgasmos—
me dejó las raíces al aire
como los nervios de un condenado
Despojada
desposeída
dueña de mi tiempo
Y con él tampoco soy avara:
sería ridículo pretender administrar
un bien desconocido

# EL VIAJE

Mi primer viaje
fue el del exilio
quince días de mar
sin parar
la mar constante
la mar antigua
la mar continua
la mar, el mal
Quince días de agua
sin luces de neón
sin calles sin aceras
sin ciudades
sólo la luz
de algún barco en fugitiva
Quince días de mar
e incertidumbre
no sabía adónde iba
no conocía el puerto de destino
sólo sabía aquello que dejaba
Por equipaje
una maleta llena de papeles
y de angustia
los papeles
para escribir
la angustia

para vivir con ella
compañera amiga

Nadie te despidió en el puerto de partida
nadie te esperaba en el puerto de llegada
Y las hojas de papel en blanco enmoheciendo
volviéndose amarillas en la maleta
maceradas por el agua de los mares

Desde entonces
tengo el trauma del viajero
si me quedo en la ciudad me angustio
si me voy
tengo miedo de no poder volver
Tiemblo antes de hacer una maleta
—cuánto pesa lo imprescindible—
A veces preferiría no ir a ninguna parte
A veces preferiría marcharme
El espacio me angustia como a los gatos
Partir
es siempre partirse en dos.

## DIALÉCTICA DE LOS VIAJES

Para recordar
tuve que partir.
Para que la memoria rebosara
como un cántaro lleno
—el cántaro de una diosa inaccesible—
tuve que partir.
Para pensar en ti
tuve que partir.
El mar se abrió como un telón
como el útero materno
como la placenta hinchada
lentas esferas nocturnas brillaban en el cielo
como signos de una escritura antigua
perdida entre papiros
y la memoria empezó a destilar
la memoria escanció su licor
su droga melancólica
su fuego
sus conchas nacaradas
su espanto
su temblor.
Para recordar
tuve que partir
y soñar con el regreso
—como Ulises—

sin regresar jamás.
Ítaca existe
a condición de no recuperarla.

# MONTEVIDEO

Nací en una ciudad triste
de barcos y emigrantes
una ciudad fuera del espacio
suspendida de un malentendido:
un río grande como mar
una llanura desierta como pampa
una pampa gris como cielo.

Nací en una ciudad triste
fuera del mapa
lejana de su continente natural
desplazada del tiempo
como una vieja fotografía
virada al sepia.

Nací en una ciudad triste
de patios con helechos
claraboyas verdes
y el envolvente olor de las glicinas
flores borrachas
flores lilas

Una ciudad
de tangos tristes
viejas prostitutas de dos por cuatro

marineros extraviados
y bares que se llaman City Park.

Y sin embargo
la quise
con un amor desesperado
la ciudad de los imposibles
de los barcos encallados
de las prostitutas que no cobran
de los mendigos que recitan a Baudelaire.

La ciudad que aparece en mis sueños
accesible y lejana al mismo tiempo
la ciudad de los poetas franceses
y los tenderos polacos
los ebanistas gallegos
y los carniceros italianos.

Nací en una ciudad triste
suspendida del tiempo
como un sueño inacabado
que se repite siempre.

# Lingüística general
## (1979)

El poeta no escribe sobre las cosas,
sino sobre el nombre de las cosas

Escribo porque olvido
y alguien lee porque no evoca de manera
suficiente.

# NAVEGACIÓN

Como después de las grandes tormentas
un mar
que es sólo una parte del mar
rumoroso retrocede
y busca en las islas de tierras blancas
y en las huidizas colonias de cetáceos
los lechos abandonados en la fuga,
en la estación de los sueños
yo abandono el lecho de tus manos
para volver,
llena de carcasas y maderas,
de piedras// de metales
y del olor antiguo de otras ciudades.

Navegar es necesario,
vivir no.

En la nostálgica distancia que va
del sueño a lo real
se instala la alquimia del poema
y del amor.

El poema es, sí, una combinación de palabras,
pero su armonía no depende
—sólo—
de la naturaleza del sonido y de los timbres
ni del espacio vacío que desplaza,
depende, también,
de la nostalgia de infinito que despierte
y de la clase de revelación que sugiera.

Huellas de poetas antiguos y modernos
de cada palabra

                                        y  en el silencio

que hay detrás de la frase
atestiguan
que en el fondo Platón,
Safo y mi querido Salinger
son citas retocadas
de un solo

                        interminable

                                        discurso

que  yo morosomante continúo
en mi combate personal
contra la fugacidad.

*Ella* es ella más todas las veces que leí
la palabra *ella* escrita en cualquier texto
más las veces que soñé *ella*
más sus evocaciones
diferentes a las mías.

## BITÁCORA

No conoce el arte de la navegación
quien no ha bogado en el vientre
de una mujer, remado en ella,
naufragado
y sobrevivido en una de sus playas.

## BITÁCORA II

vagar
bogar
vagarosamente
en las velas místicas
de tu cuerpo,
inconmensurable tela
Teca.

En las mansas corrientes de tus manos
y en tus manos que son tormenta
en la nave divagante de tus ojos
que tienen rumbo seguro
en la redondez de tu vientre
como una esfera perpetuamente inacabada
en la morosidad de tus palabras
veloces como fieras fugitivas
en la suavidad de tu piel
ardiendo en ciudades incendiadas
en el lunar único de tu brazo
anclé la nave.
                              Navegaríamos,
si el tiempo hubiera sido favorable.

Entrabas al mar
como a la profundidad de un mito
impenetrable
cuyo misterio
—río Eleusis—
se había llevado el agua.

Entrabas al mar
como a la profundidad de un mito
y viejas leyendas
plegarias tristes
colgaban de tu cuerpo como algas.

## 3ª ESTACIÓN: CAMPO DE SAN BARNABA

Esta noche, entre todos los mortales,
te invito a cruzar el puente.
Nos mirarán con curiosidad —*estas dos muchachas*—
y quizás, si somos lo suficientemente sabias,
discretas y sutiles
perdonen nuestra subversión
sin necesidad de llamar al médico
al comisario político o al cura.
Sobre los canales ha llovido una lluvia fina de algodón;
nadie sabe el nombre de estas mariposas blancas
que vuelan sobre los ríos de Venecia
como plumas
que cubren las aguas y los puentes.
Y el vaporetto se desliza suavemente
entre estas flores blancas sin tocarlas
rozándolas apenas
como ronda el deseo en pos de ti
en pos de mí
                              densa película que nos unta
enardeciente,
húmeda,
dual y semejante.

## 4ª ESTACIÓN: CA FOSCARI

Te amo como a mi semejante
mi igual mi parecida
de esclava a esclava
parejas en la subversión
al orden domesticado
Te amo esta y otras noches
con las señas de identidad
cambiadas
como alegremente cambiamos nuestras ropas
y tu vestido es el mío
y mis sandalias son las tuyas
Como mi seno
es tu seno
y tus antepasadas son las mías
Hacemos el amor incestuosamente
escandalizando a los peces
y a los buenos ciudadanos de este
y de todos los partidos
A la mañana, en el desayuno,
cuando las cosas lentamente vayan despertando
te llamaré por mi nombre
y tú contestarás
alegre,
mi igual, mi hermana, mi semejante.

# Europa después de la lluvia
## (1987)

## INFANCIA

Allá, en el principio,
todas las cosas estaban juntas,
infinitas en el número
y en la pequeñez.
Y mientras todo estaba junto
el dolor era imposible
la pequeñez, invisible.

# EUROPA DESPUÉS DE LA LLUVIA
### (*Max Ernst*)


Ha llovido magma hirviente
licuando todas las formas

        (el hombre-pájaro que pende,
        solidificado, rehúsa mirarnos,
        último reproche)
Solitarios monolitos se elevan sobre el cielo luminoso,
como inverosímiles dioses (después de la tormenta).

Europa es una masa indefinible de desechos.

La lava ha corroído la suficiencia de las piedras,
perforado los metales,
mineralizado los árboles y las plantas.
Licuó las montañas,
obstruyó los ríos.

En medio de la descomposición,
sopla la inmutabilidad de la muerte.
Cuelgan fósiles, miembros desplazados,
tótems rotos, cuerpos devorados por el magma.
La luz apocalíptica ilumina restos retorcidos.

Pero quedamente,
por debajo de las formas fosilizadas

y la confusión de gestos,
se sospecha
la vida larvaria
que comienza a latir,
con un espasmo de horror.
Círculo infernal del eterno retorno.

# DIÁLOGO DE EXILIADOS

*Nous dîmes adieu à toute une époque.*

G. APOLLINAIRE

Aquí la vida vuelve a comenzar
          (*Je partis de Deauville un peu avant minut*).

No con la misma intensidad, es cierto
          (*Nous dîmes adieu à toute une époque*)

y quizás con menos alegría
          (*Des géants furieux se dressaient sur l`Amerique Latine*).

Lo único que conozco por ahora es la vida,
me dijiste
          (*Les poissons voraces montaient des abîmes*).

Los pájaros no son los mismos, es verdad,
tendremos que acostumbrarnos a su canto.

Una vez también perdí la infancia,
confiesas,
en viejas carcasas naufragadas.
Quizás se le parezca un poco.
En el puerto creí ver la sonrisa de Alejandra
y me estremecí de frío

hasta que recordé que era imposible
                    (*Hauteurs inimaginables où l'homme combat*)
océanos y mares nos separaban
y además, esa otra guerra la perdí hace tiempo.


                    Muchas veces te sucederá, dijiste,
tú que tenías experiencia en el exilio:
creerás ver un rostro conocido
pero no te engañes
es otro diferente
de todos modos más benigno.


(*La petite auto nous avait conduit dans une époque Nouvelle.*)

No serás torturado
No serás lanzado al mar
Otra ciudad
                        (vagarás por las mismas calles)
no morirás en una celda
no oirás los gritos de la cámara oscura

Lentamente
te acostumbrarás a amar este otro mar
y entonces, quieras o no, comprenderás
*Que nous venions cependant de naître.*

# SUPERMERCADO

La cajera de una sucursal del Kaiser
mira con desaprobación
el billete arrugado de diez marcos que le doy
lo estira lo plancha lo alisa minuciosamente,
coloca la efigie de Albert Dürer hacia arriba,
como si se tratara en el fondo de un papel muy diferente
al de envolver fideos.
Si no me mirara con tanta severidad le pediría disculpas
tengo ganas de preguntarle qué barco es el que aparece
del otro lado del billete
pero he cometido demasiados errores este día,
escribí varios poemas,
olvidé peinarme,
llueve y ando sin paraguas
y además, los diez marcos estaban arrugados.

# EL REGRESO DE ULISES A LA PATRIA

Regresar es morir un poco.
Las noches de luna muy clara
—cuando todo tiende a la esfericidad—
no puede dormir.
La excesiva calma que irradian las cosas
le parece un mensaje a descifrar
cuyo sentido último sería, quizás,
imposible de resistir.
Hunde entonces el remo en la arena
y vitupera a los dioses.
Los médicos de la nave le aconsejan reposo.
En sueños habla de ambiguas seducciones
donde quien arrojó la red fue finalmente
el atrapado y del rumbo de las estrellas fugaces.
Despierta e inquieto, ordena
despejar la nave.
Sea como sea, está  seguro
de que esa luna intensa,
brutal,
lo mira demasiado.

## NOCTURNO PLUVIOSO EN LA CIUDAD

De noche, bajo la lluvia
a lo largo de la avenida
la luz de una cabina telefónica
Un hombre llama ansiosamente
No hay tierra firme donde echarse a descansar
El hombre hace gestos con las manos
lejos un triángulo de luces amarillas
cómo resbala el agua en los costados
escaparates llenos de reflejos
el hombre dice: "Por favor, por favor"
un borracho junto a un árbol
*Grandes rebajas*
los autos pasan veloces:
si atropellaran a alguien no tendrían tiempo de detenerse
"Escúchame, por favor", dice el hombre
dos muchachos fuman un poco de hierba
en los diarios de esta mañana leí algo acerca de una gran
            catástrofe
no sé si terremoto o bombardeo
"Te quiero", dice el hombre,
antropoide en la vidriera telefónica
cae la lluvia
un travesti se pasea, pide fuego
los travestis siempre piden fuego y se pasean
el agua le moja la falda, le corre la pintura,

no se puede comprar cosméticos baratos,
murieron dos mil o veinte mil,
ya no recuerdo,
hay un cartel que destiñe con la lluvia:
"Compañero, tu muerte no será en vano"
(¿qué muerte no es en vano?)
Me gustaría saber dónde van las palomas con la lluvia
un locutor anuncia un detergente un bombardeo
"Escúchame", dice el hombre,
se le acaban las monedas
*Extraordinario show-sexy*
*Se ruega a las personas sensibles no asistir*
Me dijeron que se trata de un caballo que fornica con mujeres
(la Sociedad Protectora  de Animales protestó:
ninguna otra sociedad protestó)
es enorme la cantidad de personas no sensibles que hay,
según el cartel
Noches lluviosas donde cualquier suicidio es posible:
hasta el de una mariposa contra la ventana.
Del andén sale una música ambulante
el hombre no tiene más monedas
el travesti ligó
es increíble cómo en momentos decisivos algo nos falta
moneda o mirada
cigarrillo o mujer
a lo mejor se trataba de una inundación, no sé bien,
o quizás era el destripador de alguna ciudad inglesa
Se queda un instante indeciso en la cabina
registra a fondo los bolsillos
(¿extraerá una pistola o un cigarrillo?)
"Vecchio, basso", canta Mina en el amplificador

Una estrella de cine se consagró
un zapatero mató a su mujer
un padre a su hija
alguien bombardeó una ciudad
El hombre no encontró una moneda y se puso a caminar
　　bajo la lluvia.

# Babel bárbara
# (1991)

* Este libro obtuvo el Premio Ciudad de Barcelona, otorgado por el Ayuntamiento de la ciudad, en 1992.

## LA EXTRANJERA

Contra el bautismo natal
el nombre secreto con que la llamo: Babel.
Contra el vientre que la disparó confusamente
la cuenca de mi mano que la encierra.
Contra el desamparo de sus ojos primarios
la doble visión de mi mirada donde se refleja.
Contra su altiva desnudez
los homenajes sacros
la ofrenda del pan
del vino y el beso.
Contra la obstinación de su silencio
un discurso largo y lento
salmodia salina
cueva hospitalaria
signo en la página,
identidad.

# EL BAUTISMO

Yo te bautizo Babel entre todas las mujeres
Babel entre todas las ciudades
Babel de la diversidad
ambigua como los sexos
nostálgica del paraíso perdido
—útero materno—
centro del mundo
cordón umbilical.

"Poeta —grita Babel—
soy la ciega de las lenguas
la Casandra en la noche oscura de los significantes."

# LA TRANSGRESIÓN

En la ciudad, hay una consigna:
—"No amarás al extranjero".
Babel, sardónica,
se ríe del viejo emblema
mezcla lenguas diversas
declina los verbos muertos
y apostrofa en occitano.

Descubre palabras raras
y las lanza entre los dientes
como piedras de un río arcaico
—primigenio—.

He de hacerme un collar
con esos abalorios,
señas de identidad del extranjero.

## LAS LEYES DE LA HOSPITALIDAD

Cuando la extranjera me mira
mis ciudades se sumergen
oscurécense los cristales de las iglesias
que amo tanto
se ocultan los animales familiares
naufragan las huellas de mi estirpe
y —confuso— balbuceo babélicas palabras
de imposible traducción.
De este modo rindo homenaje
al lugar donde nació
a la extranjera que la dio a luz
a la secreta genealogía de parques
y ventanas que celebró su primera menstruación
al perfume —mirtos maduros— de sus muslos.
"Babel —le digo—: Todo huésped es inocente."

## BABEL, LA MALDICIENTE

Babel maldice en lenguas bárbaras
                    como si la ira hiciera salir de
su garganta
un coro de voces báquicas
enervadas por el alcohol
por los excesos del tacto
                    y del sudor.

    En todas las tradiciones hay una maldición,
le digo,
        Helena maldijo a su madre
        Job a sus antepasados
¿ibas a ser tú la excepción?

        Entonces, ebria de voces que no son las suyas,
Babel maldice en arameo,
en ladino, en persa, en occitano.
Apátrida de las lenguas,
desterrada del idioma

                    de pronto se tiende en la cama y gime.
    Pero su gemido es ancestral:
Babel gime como las parturientas,
como los condenados,
como los mudos,

como los que acaban de nacer.

Entonces yo le doy la bienvenida:

Bienvenida Babel, entre los mortales,
porque quien gime, en vez de hablar,
será consolado.

## AMANECER PRIMERO

Flotábamos en el lecho
—arca de Noé—
como venidos de otro mundo
y raras criaturas
nos acechaban
en el amanecer pluvioso
                        (caras de monos, ojos de ratón).

En las nubes sudorosas como almohadas
había signos ocultos

                        una geografía difusa
                        un pueblo desterrado.

Aprendíamos una lengua nueva
con ecos de loro
y el timbal de la tormenta.

                        Dije: "Tierra"
                        y era su vientre.

# BABEL BÁRBARA

Altiva como la A (anaconda)
Balbuceante como la B (Babel bárbara)
Colérica como la C (carismática)
Dorada como la D (ditirámbica)
Elemental como la E (elegíaca)
Furibunda como la F (faústica)
Gutural como la G (gárgola)
Hipnótica como la H (hendida)
Íntima como la I (imantada)
Jupiteriana como la J (jónica)
Lúbrica como la L (loba)
Mórbida como la M (marmórea)
Nocturna noctiluca (nacarada noche)
Opulenta como la O (ombligo y ópalo)
Quejumbrosa como la Q (quimera y quejido)
Rúnica como la R (rondadora)
Sardónica como la S (soez, soñadora)
Turbadora como la T (tañido y tambor)
Ungida como la U (umbría, ungulada)
Visceral como la V (vientre, voluta)
Yuxtapuesta como Y (yoica)

te maldigo y te bendigo
te nombro y te fundo.

## MISA PROFANA

Te amé en el *Miserere*

con algo venido de lo antiguo

*Kyrie eleison*

La  fuerza primitiva de la carne
(segunda estación: los brazos en cruz)

Con algo de la emoción salvaje
de religiones absolutas

*Kyrie eleison*

Diosa del máximo abandono
primitiva y pagana.

Los altos árboles
y esta forma de hablarnos:

*Gloria*

Los peces pequeños
y el rumor de las plantas:

*Gloria*

Las fiestas de la amada lujuria:

*Gloria*

Tu pensamiento es absoluto
Cuando me reclamas
un estremecimiento
sacude la tierra

Huir es imposible

No hay roca que me oculte
ni hogar que acoja al fugitivo.

*Kyre*

Soñé escapar

*Eleison*

y los mares se rebelaron
Las palabras se volvieron contra mí

*Domini*

quedé desguarnecido
*Eleison*

la edad de la razón se cernía sobre mí

sus residuos mediocres
sus despojos

Vuelvo sumiso
al antiguo culto
        Aleluya
           Las dulces y ardientes ceremonias
           del *amour fou*
donde se nace
y se muere
mil veces

     con todas las cosas del mundo
aureoladas de luz febril
y declinación.

    ¡Aleluya!

# LA PASIÓN

Salimos del amor
como de una catástrofe aérea
Habíamos perdido la ropa
los papeles
a mí me faltaba un diente
y a ti la noción del tiempo
¿Era un año largo como un siglo
o un siglo corto como un día?
Por los muebles
por la casa
despojos rotos:
vasos fotos libros deshojados
Éramos los sobrevivientes
de un derrumbe
de un volcán
de las aguas arrebatadas
Y nos despedimos con la vaga sensación
de haber sobrevivido
aunque no sabíamos para qué.

# EL PARTO

Desde el fondo del vientre,
como una montaña,
la oscura fuerza del deseo.
El deseo, oscuro como una semilla.
La semilla cerrada y muda
como una ostra.
Los labios de la ostra
lentamente abriéndose,
como la vulva.
La vulva, húmeda y violeta,
a veces fosforescente.
Babel, echada hacia adentro,
como una semilla. Guardada
como una ostra. Ensimismándose,
como el caracol encogido.
Babel torre, Babel casa escondida.
      "Es largo esconderse nueve meses", dice Babel,
      henchida.

La palabra, apuntando hacia afuera
La palabra, sobresaliendo del vestido.
La palabra, empujando su brote,
su alegría, su maldición.

Babel por las calles como una virgen,
como si nada escondiera. Babel bailando en bable.
Babel vestida.

      Y de pronto, súbitamente, el grito.
Descendiendo por las piernas abiertas, el grito.
Desfondándose en las sábanas, el grito.
Licuándose en las caderas duras como anclas, el grito.
Forzándose a salir, el grito.
Brutal, ojeroso, hondo, gutural,
                        onomatopéyico,
negro, desentrañado,
               el grito: partido en dos,
hecho de sangre,
             voz de la víscera,
palabra sin lugar en el diccionario.

# Otra vez Eros
## (1994)

# GENEALOGÍA

*(Safo, V. Woolf y otras)*

dulces antepasadas mías
ahogadas en el mar
o suicidadas en jardines imaginarios
encerradas en castillos de muros lilas
y arrogantes
espléndidas en su desafío
a la biología elemental
que hace de una mujer una paridora
antes de ser en realidad una mujer
soberbias en su soledad
y en el pequeño escándalo de sus vidas

Tienen lugar en el herbolario
junto a ejemplares raros
de diversa nervadura.

## CONDICIÓN DE MUJER

Soy la advenediza
la que llegó al banquete
cuando los invitados comían
los postres

Se preguntaron
quién osaba interrumpirlos
de dónde era
cómo me atrevía a emplear su lengua

Si era hombre o mujer
qué atributos poseía
se preguntaron
por mi estirpe

"vengo de un pasado ignoto —dije—
de un futuro lejano todavía
Pero en mis profecías hay verdad
Elocuencia en mis palabras
¿Iba a ser la elocuencia
atributo sólo de los hombres?
Hablo la lengua de los conquistadores
es verdad,
aunque digo lo opuesto de lo que ellos dicen"

Soy la advenediza
la perturbadora
la desordenadora de los sexos
la transgresora

Hablo la lengua de los conquistadores
pero digo lo opuesto de lo que ellos dicen.

# HIPÓTESIS CIENTÍFICA

Nada dice acerca del amor
la hipótesis biológica
de que se trata de una reacción química.

No tengo ningún inconveniente en admitir
que te aman mis jugos interiores
que tu ausencia me intoxica la sangre de negra bilis
que al contemplarte
sube la tasa de mi monóxido de carbono
y los linfocitos se reproducen alocadamente.

Si me pongo lírica
y se me traba la lengua
¿cómo no reconocer que alteras mi metabolismo basal
y entorpeces mis digestiones?

Mis narinas tiemblan
aumenta la presión de la sangre
enrojezco y me altero
o sudo y palidezco.

       Mi amor es gutural e instintivo
como el celo de los animales.
Cualquier metáfora que erija
como un vestido sobre la epidermis
será artificio.

Y sin embargo,
              cuando te hablo,
evoco leyendas antiguas:
Tristán, Iseo, la cruel Turandot,
Dido, la enamorada, y la indiferente Helena
se amontonan en mi boca
viajan,
en ríos blancos de saliva.

          Hipótesis científica
o cultura,
lo mismo da:
mis vísceras no distinguen,
aman, sin preguntarse qué es el amor.

# FINAL

Quizás no fue que se acabó el amor
quizás fue que se te acabó la cocaína
o te desequilibró el horóscopo del diario
Quizás fallaron las hormonas
o la irrigación del cerebro

Quizás tenías una depresión profesional
o números rojos en el banco

El escenario de las tragedias ha cambiado
y los motivos también

Ya no hay amores insensatos
sino aburridos acoplamientos programados

      sólo en la página
el amor
      toca a rebato

      Para que nadie se manche las manos
ni sufra demasiado.

# UN VIRUS LLAMADO SIDA

Cuando ya nadie moría de amor
ni por cambiar el mundo
(escépticos ante los estremecimientos de la piel
y las abyecciones del poder)

este pequeño retrovirus,
de la familia de la varicela
y de la gripe
entrometido en la sangre
como en las sábanas,
mezclado con las lágrimas escasas
y los sudores lentos
parásito de los besos castos
como de los perversos
mudo y escondido
          traicionero morador de nuestras células

instala otra vez la muerte

entre los escépticos
entre los cómodos
y los cautos.

          Ah, el peligro de amar lo desconocido
— y en efecto: ¿quién nos conoce?
¿quién nos es conocido?—

tan intenso, ahora,
como cambiar el mundo.

## ESTADO DE GRACIA

Me despierto en estado de gracia

Imposible definirlo,
sin embargo,
                no se confunde con ninguna otra cosa.
Es la gracia
                espléndida
                                omnipotente

y veo brillar San Francisco
y el río Tíber

                veo a los caldeos
a los animales del pasado
                con diáfana armonía.

Siento
        en la piel

la tibieza de la palabra *incesto*
(en itálicas doradas)
y en divertida turba
desfilan Dante, Salinger y Roland Barthes,
seguidos por mi madre

que viaja escépticamente por Lugano

vestida de colegiala.

Como Pedro, el pescador bíblico,
la gracia es inmotivada

y es posible que antes de la tercera línea,
la niegue por tres veces.

## RABELESIANA

Le gustaría comerse los dedos
de mi pie izquierdo
con una suave salsa de cerezas
y sorber con fruición los huesecillos.

Asaría mi tobillo derecho
atado con delicado cordel,
a las finas hierbas.

Bebería mi sangre menstrual,
con unas gotas de licor
y una pizca de canela.

Doraría los puños al horno,
rociados con zumo de ciruelas
y pasas desecadas al sol.

Saltearía mis muslos en aceite
y los devoraría a la noche,
acompañados con dulce vino.

Después —grande, como una vaca
cansada de comer—,
se echaría a rumiar

su gigante bolo alimenticio,
satisfecha de la deglución.

Si alguien le reprochara
haber devorado lo que amaba,
con los ojos resplandecientes de placer, diría:
"De lo que se come, se cría".

# FINAL DEL TRAYECTO

Después de las terribles pruebas de amor
y del fuego
—quemé mi útero y mis ovarios—
después de los desmesurados trabajos del día
—ganar el pan y el sueño con el sudor de la frente—
después de atravesar el océano de la locura
y los riscos de la muerte
no me esperaba el preciado trofeo
no había bella princesa cuyo amor
curara las heridas
no había tierna patria adonde volver
ni un castillo de puente levadizo
No había medallas
No había honores
Especialmente
no había doncella
no había princesa
                              no había cuento de amor
No había historia que contar
            —toda lírica termina donde acabó Darío—

La epopeya no tiene fin
siendo el fin de la epopeya su propio transcurrir

Sobrevivir también es una nostalgia
de no haber muerto todavía.

## ALEGORÍA

La amó como a un signo
privilegiado
metáfora del mundo
alegoría sobre dos pies
y una cintura
perpleja como el paréntesis
y a veces discursiva
dos puntos sobre el océano del mundo
desplegada/evanescente
fugitiva y fútil
como las palabras
que servían para amarla
ornamental,
alegórica,
hipótesis tangible
Y cuando se fue
perdió el don
de la metáfora
quedó
sin interpretación posible

Y el mundo era diverso.

## TANGO

La ciudad no eras vos
No era tu confusión de lenguas
ni de sexos
No era el cerezo que florecía —blanco—
detrás del muro
como un mensaje de Oriente
No era tu casa
de múltiples amantes
y frágiles cerraduras

La ciudad era esta incertidumbre
la eterna pregunta, —quién soy—
dicho de otro modo: quién sos.

# Aquella noche
## (1996)

## AQUELLA NOCHE

La noche en que nos conocimos
yo empecé a perder
La cerilla explotó
y me quemó los dedos
manché mi blusa con el vino
Olvidé por completo el nombre
del mes y del día.

Tanta turbación
sólo podía ser la prueba
de un deseo muy grande

tan grande
que ni tú misma
podías satisfacer.

## MUJER DE PRINCIPIOS

He sido fiel al blues
a Sarah Vaughan,
al mar,
a la aspirina,
a Caspar David Friederich,
a los nocturnos de Chopin
y a los diurnos de Van Gogh,
al cigarrillo,
a la máquina de escribir
y a la lectura del periódico.
Al mar
—no a la montaña—
a la noche
antes que al día,
al invierno
antes que al verano,
al agua,
no al fuego,
a la química,
no a la geografía,
a la solidaridad
más que al sexo,
a la belleza,
siempre a la belleza.
He sido fiel a los perros,

a los osos,
a los dinosaurios
(nunca a las aves),
a los barcos,
no a los aviones.

Si no he sido fiel en el amor
sólo ha sido
por fidelidad a los fantasmas.

## ODA AL PENE

Querido Ticas:
No es posible tener muy buena opinión
de un órgano membranoso
que se pliega y se despliega
sin tener en cuenta
la voluntad de su dueño.
Que no responde a la razón
que hace el ridículo cuando menos lo esperas
o se pone soberbio
cuando habías decidido mostrarte tímido.
No es posible tener muy buena opinión
de los misiles
ni de los obeliscos de las ciudades
ni de las bombas testiculares.
No se puede estar muy orgulloso
de un órgano de requerimientos tan imperiosos
a solitarios manoseos
o a rápidas penetraciones en turbios cuchitriles
pagando lo menos posible.

    Sublímalo, Ticas,
pinta cuadros
escribe libros
preséntate a diputado
escribe letras de rock

compra acciones de la Bolsa:
todo, para olvidar
esa oprobiosa sumisión
a un órgano que no puedes gobernar,
que no controlas.

# HISTORIA DE UN AMOR

Para que yo pudiera amarte
los españoles tuvieron que conquistar América
y mis abuelos
huir de Génova en un barco de carga.

Para que yo pudiera amarte
Marx tuvo que escribir *El capital*
y Neruda, la *Oda a Leningrado.*

Para que yo pudiera  amarte
en España hubo una guerra civil
y Lorca murió asesinado
después de haber viajado a Nueva York.

Para que yo pudiera amarte
Virginia Woolf tuvo que escribir *Orlando*
y Charles Darwin
viajar al Río de la Plata.

Para que yo pudiera amarte
Catulo se enamoró de Lesbia
Y Romeo de Julieta
Ingrid Bergman filmó  *Stromboli*
y Pasolini, los *Cien días de Saló.*

Para que yo pudiera amarte
Lluis Llach tuvo que cantar *Els segadors*
y Milva, los poemas de Bertolt Brecht.

Para que yo pudiera amarte
las crisálidas se hicieron mariposas
y los generales tomaron el poder.

Para que yo pudiera amarte
tuve que huir en barco de la ciudad donde nací
y tú combatir a Franco.

Para que nos amáramos, al fin,
ocurrieron todas las cosas de este mundo

y desde que no nos amamos
sólo existe un gran desorden.

# DESEO

No. No quiero más que esto.
Un blues melancólico y borracho de Tom Waits
una servilleta de papel con el perfil de una galera
—la noche llena de presagios—
la última fila de un cine antiguo
las postales de una ciudad que ya no es
y un café a media tarde
mientras me cuentas tu infancia
llena de deseos.

Todo el mundo tuvo una infancia
todo el mundo deseó y no se cumplió
¿para qué más?

Ese torpe borracho de Tom Waits
canta como un negro
y la vida es una sucesión de cromos
¿Escuchó alguna vez a Barbara?
¿Prefiere a Renata Tebaldi?
¿Hace el amor de pie o en la cama?
¿Es cliente de algún sex —shop?

Las afinidades son moneda antigua
falsas señas de identidad del deseo:
nunca

en ningún lugar
un deseo fue igual a otro.

# TUMBA

Quisiera que mi tumba estuviera en un parque
—no muy lejos de otras tumbas—
lleno de pájaros
y de niños que juegan en la hierba.
Una ardilla podría pisarla
o un globo de aire sobrevolarla.
Me gustaría, también,
que fueras a conversar conmigo,
los sábados por la tarde.

# Inmovilidad de los barcos
## (1997)

# MENSAJES

Se escribe
como se lanza botella al mar:
soñando con una playa
un lector, una lectora
Pero cuando por azar de los vientos
y la conjunción errática de las mareas
la botella navegante llega a la orilla
y alguien la recoge
—lee el mensaje—
hay que confesar: quien envió el mensaje
está ya en otra cosa.

# LOS GRANDES TRANSATLÁNTICOS

Cuando los grandes transatlánticos
—blancos como ballenas—
de gloriosos nombre italianos
—Cristóforo Colombo, Américo Vespucci—
zarpaban lentamente de las radas
—quince días de mar
y el clap-clap-clap del agua—
yo te invité al puerto
a ver salir los barcos.

Vivías en una gran ciudad
de espaldas al mar
En tu vida había muchas cosas:
música-autopistas-cenas
comités-colegas-teléfonos
De espaldas al mar
sin contemplar
la mansa taciturnidad de los barcos.

"Son algo majestuoso", dijiste:
El barco blanco
flotaba en la rada
mecido por las aguas
como por un sueño.
Ballena antigua,
se había echado a descansar.

En torno a él
oscuros hombrecitos de mono azul
trabajaban en su vientre
como diminutos Jonases digeridos.

Desde entonces, tu amor
tuvo una maroma:
me amabas
porque una tarde de invierno,
en lugar del cine,
te llevé a ver salir los barcos.

## R.I.P.

Ese amor murió
sucumbió
está muerto
aniquilado                    fenecido
finiquitado
occiso                   perecido
obliterado
muerto
sepultado
entonces,

                    ¿por qué late todavía?

# COMBATE

En la lucha
contra tus sentimientos
perdiste un diente
una costilla
el dibujo
del labio superior
Sangraron las mejillas
zumbó el oído
y un ojo se volvió negro.

Alzaste el brazo
pidiendo tregua:
el combate había finalizado
tus sentimientos,
destruidos, yacían por el suelo,
vencidos.
¿A qué viene, entonces,
esta melancolía crepuscular,
la casa en silencio,
tú sola en la habitación,
los recuerdos tumefactos?

# ALEGRÍA DE VIVIR

Me levanto
con la certeza
de estar sola:
bajo a la calle
silbo un airecillo
camino contra el viento
enciendo uno de los cigarrillos
que el médico me prohibió
—Estoy sola—
tan contenta
que empiezo a echar monedas
en la máquina del bar
gáname, tragaperras,
el patrón me mira satisfecho
(ríete, estúpido, dinero
es lo único que me puedes ganar)
cuando estoy contenta
soy espléndida
tan alegre de estar sola
que enseguida me pongo a conversar
con gente que no me interesa
(nunca sabrán cuán contenta estoy)
escucho tonterías
no me afectan: tengo alegría interior
soy generosa: digo piropos

a gente que no se los merece
¿Qué voy a hacer, si estoy contenta?
Con la felicidad no se puede hacer nada
No se puede escribir poemas
No se puede hacer el amor
No se puede trabajar
No se puede ganar dinero
ni escribir artículos de periódico
La felicidad es esto:
caminar contra el viento
saludar a desconocidos
no comprar comida
(la felicidad es el alimento)
ser espléndida
como el viento gratis que limpia la ciudad
como la llovizna repentina
que me moja la cara
me resfriaré
pero a mí qué me importa.

## LA FRACTURA DEL LENGUAJE DE LOS LINGÜISTAS
## APLICADA A LA VIDA COTIDIANA

Le dije que me gustaba, y quedé insatisfecha.
La verdad era que a veces no me gustaba nada,
pero no podía vivir sin ella.
Le dije que la quería,
pero también quiero a mi perro.
Después le dije que la amaba,
pero mi incomodidad fue mayor aún:
no tenía un cúmulo de buenos sentimientos,
a veces mis sentimientos eran muy malos,
quería secuestrarla, matarla de amor,
reducirla a la esclavitud, dominarla.
A veces, sólo quería su placer.
La complicidad que reclamé
era imposible: ¿qué complicidad se puede establecer
con alguien cuya sonrisa nos lleva al paraíso
y cuya indiferencia nos conduce al infierno? (William Blake)
Decidí prescindir del lenguaje,
entonces me acusó de no querer comunicarme.

Desde hace unos años, sólo existe el silencio.
Encuentro, en él, una rara ecuanimidad:
la de los placeres solitarios.

# ORACIÓN

Líbranos, Señor,
de encontrarnos,
años después,
con nuestros grandes amores.

## LA FALTA

Hay gente que le pone nombre
a su falta
les falta Antonio o Cecilia,
un viaje a África
o un millón de pesetas
un pisito en la playa
o una amante
un éxito en la loto
o un ascenso en el trabajo.

Los que sabemos que la falta
es lo único esencial
merodeamos las calles nocturnas
de la ciudad
sin buscar
ni un polvo
ni una diosa
ni un Dios
        Sacamos a pasear la falta
como quien pasea un perro.

# MEGALÓPOLIS

Un helicóptero
una batidora
una nevera
jeringuillas desechables
peluquines
uñas postizas
latas de Pilsener
alka-seltzer
muñecas hinchables
*Cómo superar el complejo de inferioridad*
comida macrobiótica
heavy metal
barras de labios
el riñón de una mujer en paro
leche en polvo
abedules de plástico
cigarrillos importados
y una leyenda medio borrosa en una esquina:
*Me mataré si no vienes.*

# LOS PSICOANALISTAS

Los psicoanalistas no se enamoran,
no son adictos al juego,
no se pinchan,
no van al casino,
no tienen fobias
no comen helados compulsivamente:
del otro lado del sillón
o de la mesa
han visto los estragos de las pasiones
como quien observa una orca
en el acuario de San Francisco.
Mientras tengan pacientes,
están protegidos. El antídoto
está allí,
sollozando en el sofá
o mordiéndose las uñas,
del otro lado de la mesa.

# NOCTURNO EN LA CIUDAD

A medianoche relumbran
los anuncios luminosos
Una cruz roja encendida —una farmacia—
Un búho titilante —una Caja de Ahorros—
Una gigantesca pantalla de vídeo
Las luces se reflejan
sobre el pavimento mojado
            Coágulos verdes
hematomas azules
            Pesa el cielo negro de contaminación
Los últimos transeúntes desfilan
fantasmas sonámbulos
entre los autos
apostados en fila
como una hilera de escarabajos
            De las alcantarillas azules
sale humo caliente:
            combustión de todo lo que ha tragado la ciudad
durante el día.

# EL MUNDO DEL FUTURO

No saldrán de casa. Conectarán la cafetera
y el ordenador al mismo tiempo
y seguirán en la pantalla,
a cada instante,
la cotización de sus acciones
en la Bolsa de Nueva York y de Tokio
mientras el robot doméstico
limpia barre friega
asea el dormitorio.
Luego el desayuno, un poco de gimnasia
en la bici estática
con sonido estereofónico incorporado.
Después, sentados ante el ordenador,
recogerán el trabajo de la oficina,
los asuntos pendientes,
los proyectos por fax.
Dictarán algunas órdenes por micrófono
y al mediodía el microondas les preparará una comida
sin colesterol ni hidratos de carbono.
Dormirán la siesta en un sofá masajeador
y cuando despierten, tendrán su sesión de relax
con películas porno y excursiones eróticas
en internet.
Se acostarán solos, a las doce, pero oirán la voz del ordenador
que les dirá:
Hasta mañana.

# LAS MUSAS INQUIETANTES
## (1999)

# CLAROSCURO

(*La encajera,* Jan Vermeer de Delft)

La aplicación de las manos
de los dedos
la concentrada inclinación de la cabeza
el sometimiento
una tarea tan minuciosa
como obsesiva
El aprendizaje de la sumisión
y del silencio
Madre, yo no quiero hacer encaje
no quiero los bolillos
no quiero la pesarosa saga
No quiero ser mujer.

# LA SEDUCCIÓN

*(San Jorge y el dragón,* Paolo Uccello)

Cuánta sólida armadura,
San Jorge,
cuánto brioso caballo
—blanco, encabritado—
cuán larga la lanza
(símbolo viril)
cuánta furia
cuánto odio
para enfrentar al temible dragón
de fauces chorreantes
que una gentil doncella,
con mano suave,
saca a pasear dócilmente,
como si se tratara de un perrillo faldero.

Aquello que los hombres matan con violencia
las mujeres domestican con dulzura.

# EL NACIMIENTO DEL ÍDOLO

*(El nacimiento del ídolo,* René Magritte)

En su constitución se reconocen elementos diferentes
    (pero nadie reconocerá la impostura)

un brazo postizo
que perteneció sin duda
a dama elegante
y ahora pende de un agujero
e inicia el movimiento seductor
hacia adelante.
Se apoya sobre el estrado
que conduce indefectiblemente
hacia la escalera,
cuyos peldaños trepará,
cuando nadie lo vea,
porque no es conveniente
trepar ante testigos.
Está rodeado de infinidad de espejos,
y aun las puertas,
que ni abren ni cierran,
son, en realidad, reflejos
de la irresistible ascensión.
El mar en torbellino brama a los costados,
pero no engaña a nadie:

es otro espejo
donde el ídolo se mira
en tanto las crestas de las olas
se miran en él.

# EL TIEMPO AMENAZADOR

*(El tiempo amenazador,* René Magritte)

No es verdad que el busto de mujer
el trombón y la silla blanca
flotan en el espacio
de una playa mansa europea.
No es cierto que uno de los tubos
horada la cintura de la mujer
ni que la silla vacía levita
sobre una montaña rocosa.

No es verdad que salíamos de una guerra
y otra peor estaba por comenzar.

No es cierto que sólo eso podíamos esperar.

# EL ORIGEN DEL MUNDO

(*El origen del mundo,* Gustave Courbet)

Un sexo de mujer descubierto
(solitario ojo de Dios que todo lo contempla
sin inmutarse)

perfecto en su redondez
completo en su esfericidad
impenetrable en la mismidad de su orificio
imposeíble en la espesura de su pubis
intocable en la turgencia mórbida de sus senos
incomparable en su facultad de procrear

sometido desde siempre
(por imposeíble, por inaccesible)
a todas las metáforas
a todos los deseos
a todos los tormentos

genera partenogenéticamente al mundo
que sólo necesita su temblor.

# LAS MUSAS INQUIETANTES I

*(Las musas inquietantes,* de Giorgio de Chirico)

En el suelo rojo
de madera
que conduce de la actualidad
al pasado
se eleva
monumental
una musa sin brazos.
        (A lo lejos,
una estatua romana,
una fábrica,
un  templo.)

Hay máscaras en el suelo,
cubos de colores,
un bastón y un pedestal.

Otra espera, sentada,
sin cabeza,
como una madre cansada de viajar.

Yo os invoco:
Haced de la angustia
un color.

# EL GRITO

*(El grito,* Edvard Munch)

El niño
que fuimos
grita
solo en el puente despavorido
aúlla
un paso atrás de la conciencia
de los cielos rojos
inflamados
de gritar.

## ASÍ NACE EL FASCISMO

*(La lección de guitarra,* Balthus)

En el campo de concentración
de la sala de música o ergástula
la fría, impasible Profesora de guitarra
(Ama rígida y altiva)
tensa en su falda el instrumento:
mesa los cabellos
alza la falda
dirige la quinta de su mano
hacia el sexo insonoro y núbil
de la Alumna
descubierta como la tapa de un piano
Ejecuta la antigua partitura
sin pasión
sin piedad
con la fría precisión
de los roles patriarcales.

Así sueñan los hombres a las mujeres.
Así nace el fascismo.

# ESTRATEGIAS DEL DESEO
## (2004)

## LO FATAL
(Rubén Darío)

*A Carles Duarte*

Los antiguos faraones
ordenaron a los escribas:
consignar el presente
vaticinar el futuro
pero el presente es efímero
y el futuro incierto
salvo para aquellos que saben leer
en la Naturaleza el lenguaje de los símbolos
—Beaudelaire—.
Perdóname si en el presente
he sufrido por el futuro
cual Casandra rodando por las calles
de la antigua Troya
—*fue Ilión, fue la gran gloria de los teucros*—
perdóname si en el presente
he sufrido por el pasado.
De Virgilio a Sigmund Freud
todo está perdido de antemano,
y sin embargo,
como jugadores locos —Dostoievski—
seguimos apostando.

# ESTRATEGIAS DEL DESEO

Las palabras no pueden decir la verdad
la verdad nos es *decible*
la verdad no es lenguaje hablado
la verdad no es un dicho
la verdad no es un relato
en el diván del psicoanalista
o en las páginas de un libro.
Considera, pues, todo lo que hemos hablado tú y yo
en noches en vela
en apasionadas tardes de café
—*London, Astoria, Arlequín*—
sólo como seducción
en el mismo lugar que las medias negras
y el liguero de encaje:
estrategias del deseo.

# IN MEMORIAM

Escríbelo
para que no perezca.
Escríbelo
contra el olvido.
Escríbelo
para retenerlo.
Fíjalo en palabras
runas del deseo
abecedario del amor
palíndromo de *ama*
*ama la ama.*
Y una vez escrito
una vez fijado en tinta
en papel
en caligrafía
en cuartillas
una vez clavado
retenido
encerrado en palabras
léelo.
Comprenderás entonces
que todo ha sido inútil:
la vida se nos escapó
entre las caricias
y los besos

como se nos escapó en palabras.
In memoriam.

# DARWINISMO

Aquella garrapata
que se clavó en mi pecho
justo después de habernos conocido
podía haberme conducido
directamente a la muerte

      pero fue benigna

sólo me provocó una aparatosa infección local.

De modo
      que debo estarle agradecida
            "aunque mejor la matamos", dijo el médico.

Así es la vida
según *National Geographic*
y Darwin:
matar o morir.

## DE AQUÍ A LA ETERNIDAD

Descubrir a Dios entre las sábanas
—no en el templo fariseo
ni en la altiva mezquita—
sábanas blancas
sudario del amor que te cubría
manto sagrado
iniciar la bienaventurada ascensión
de tu piel a la eternidad
de tu vientre al círculo celestial
sentir a Dios en tus húmedas cavidades
en el grito vertiginoso
de la jauría de tus vísceras
saber
que Dios  está escondido entre las sábanas
sudoroso
consagrando tu sangre menstrual
elevando el cáliz de tu vientre.
Descubrir de pronto que Dios
era una diosa
última ascesis,
de aquí a la eternidad.

# FETICHE

Fetiche tu cuerpo
fetiches tus pechos
fetiches de mi deseo tu lujuria
tu clítoris tu vagina
fetiche cebado tu bárbara matriz
oscuro túnel de mi deseo
fetiches tus nalgas, lunas paralelas
fetiches tus labios blancos
fetiche tu orgasmo desgajado
raíz del fondo de la tierra
fetiches tus gemidos parturientos
tus súplicas perentorias
fetiches de mi deseo tus lóbulos
tus pies pequeños
tu nuca tu boca tus cabellos.
Fetiches de mi deseo
que agitan mi imaginación
y turban mi sueño.

## DE AQUÍ A LA ETERNIDAD IV

No he amado las almas, es verdad
sus pequeñas miserias
sus rencores sus venganzas
sus odios su soberbia
en cambio he amado generosamente
algunos cuerpos
mi amor los ha embellecido
más que el maquillaje
mi amor los ha enaltecido
siempre es más fácil amar un seno flácido
un ojo ligeramente estrábico
que el mal carácter
la mezquindad
o el narcisismo
llamado otrosí ego.
No he amado las almas, es verdad,
sus pequeñas miserias
sus rencores sus venganzas
sus odios su soberbia
en cambio
he amado hasta el éxtasis
algunos cuerpos
no necesariamente hermosos.

## *LE SOMMEIL*, DE GUSTAVE COURBET

Si el amor fuera una obra de arte
yaceríamos todavía desnudas y dormidas
la pierna sobre el muslo
la cabeza sobre el hombro —nido—
resplandecientes y sensuales
como en *Le sommeil* de Courbet
cuya belleza contemplamos extasiadas
una tarde, en Barcelona
("Salimos de una cama para entrar en otra",
dijiste).

No hubiéramos despertado nunca
ajenas al paso del tiempo
al transcurso de los días y de las noches
en un presente permanente
de tiempo paralizado
y espacio cristalizado.

Quise vivir en el cuadro
quise vivir en el arte
donde no hay fugacidad
ni tránsito.

Pero se trataba sólo de amor
no del cuadro de Courbet

de modo que despertamos
y era el ruido de la ciudad
y era el reclamo de la realidad
los crueles menesteres
—las pequeñeces de las que habló Darío—.

Se trataba sólo de amor
no del cuadro de Courbet
de modo que despertamos
y eran los teléfonos las facturas
los recibos de la luz la lista del mercado
especialmente era lo fútil,
lo frágil, transitorio,
lo banal, lo cotidiano
eran los miedos las enfermedades
las cuentas de los bancos
los aniversarios de los parientes.

Dejamos solas
abandonadas a las bellas durmientes
de Courbet

solas
abandonadas en el museo
en las reproducciones de los libros.

Se trataba sólo de amor
es decir, de lo efímero,
eso que el arte siempre excluye.

# EXTRANJERA

Extranjera en la ciudad
extranjera entre los otros
de noche
me encierro en el bar gay.
Ah, mis hermanos…
el alegre maricón con el pelo verde
que baila sensualmente
mientras se mira en el espejo
cual Narciso teñido
la profesora de francés
vestida de George Sand
con su alumna preferida
(Balthus)
y las parejas siamesas
que han conseguido
eliminar las diferencias.
Pido una copa
todo el mundo baila,
todo el mundo menos yo.
¿Será posible que aquí también
entre falsos pelirrojos
y lesbianas sin pareja
te sientas otra vez una extranjera?

# PARANOIA

Me preocupo por tu cuerpo
tus leucocitos tus linfocitos
el páncreas la glándula pineal
y la velocidad de electrosedimentación.
Observo angustiadamente
tu palidez
y el color de tu orina.
Temo que un agente patógeno
—un virus, una bacteria maligna—
lo deteriore lo destruya
como un terremoto
un aluvión
una guerra
otra catástrofe cualquiera.
Todos los días pasan cosas así.
Todos los días muere lentamente
lo que más amo.

## BARNANIT

Creo que por amarte
voy a amar tu geografía
—"una fea ciudad fabril"
la llamó su poeta, Joan Maragall—
la avenida que la atraviesa diagonalmente
como un río inacabable
las fachadas de los edificios llenos de humo
bajo los cuales
—palimpsestos—
se descubren dibujos antiguos
inscripciones romanas.

Creo que por amarte
voy a aprender la lengua nueva
esta lengua arcaica
donde otoño es femenino
—*la tardor*—
y el viento helado
tramonta la montaña.

Creo que por amarte
voy a balbucear los nombres
de tus antepasados
y cambiar un océano nervioso
y agitado —el Atlántico—

por un mar tan sereno
que parece muerto.

Creo que por amarte
intercambiaremos sílabas y palabras
como los fetiches de una religión
como las claves de un código secreto
y, feliz, por primera vez en la ciudad extraña
en la ciudad otra,
me dejaré guiar por sus pasajes
por sus entrañas
por sus arcos y volutas
como la viajera por la selva
en el medio del camino de nuestra vida.
Las ciudades sólo se conocen por amor
y las lenguas son todas amadas.

# BARNANIT III

Siempre quise vivir encima de un bar
un bar abierto toda la noche
como la función continua de un cine
sólo para adultos.

Bajar al bar
sentarme a la mesa
ver pasar a la gente
oír contar las vidas
como postales de una vieja colección
—las vidas son siempre noveladas,
novelerías—.

Vivir encima de un bar
con marquesina, luces de neón
terraza de verano
y viejas canciones de jazz
en el clarinete de un emigrante.

Bajar de la casa al bar
como al teatro
como los cursis van al Liceo
y esperar a mi amante frente a la ventana
como quien mira pasar un río

las grandes arterias
los vasos comunicantes.

Y que el camarero de siempre
(si sobrevive al calor al paro a la suciedad)
me reconozca, me reserve mesa, me salude
me diga: "La política es una mierda"
mientras me sirve un café sin cafeína
por eso de la tensión.

Sin saber
que yo tengo un secreto
un secreto que no digo a nadie:
el secreto goce de la espera.

# ONCE DE SEPTIEMBRE

El once de septiembre de dos mil uno
mientras las Torres Gemelas caían,
yo estaba haciendo el amor.
El once de septiembre del año dos mil uno
a las tres de la tarde, hora de España,
un avión se estrellaba en Nueva York,
y yo gozaba haciendo el amor.
Los agoreros hablaban de fin de una civilización
pero yo hacía el amor.
Los apocalípticos pronosticaban la guerra santa,
pero yo fornicaba hasta morir
—si hay que morir, que sea de exaltación—.
El once de septiembre del año dos mil uno
un segundo avión se precipitó sobre Nueva York
en el momento justo en que yo caía sobre ti
como un cuerpo lanzado desde el espacio
me precipitaba sobre tus nalgas
nadaba entre tus zumos
aterrizaba en tus entrañas
y vísceras cualesquiera.
Y mientras otro avión volaba sobre Washington
con propósitos siniestros
yo hacía el amor en tierra
—cuatro de la tarde, hora de España—
devoraba tus pechos tu pubis tus flancos

hurí que la vida me ha concedido
sin necesidad de matar a nadie.
Nos amábamos tierna apasionadamente
en el Edén de la cama
—territorio sin banderas, sin fronteras,
sin límites, geografía de sueños,
isla robada a la cotidianidad, a los mapas
al patriarcado y a los derechos hereditarios—
sin escuchar la radio
ni el televisor
sin oír a los vecinos
escuchando sólo nuestros ayes
pero habíamos olvidado apagar el móvil
ese apéndice ortopédico.
Cuando sonó
alguien me dijo: Nueva York se cae
ha comenzado la guerra santa
y yo, babeante de tus zumos interiores,
no le hice el menor caso,
desconecté el móvil
miles de muertos, alcancé a oír,
pero yo estaba bien viva,
muy viva fornicando.
"¿Qué ha sido?", preguntaste,
los senos colgando como ubres hinchadas.
"Creo que Nueva York se hunde", murmuré,
comiéndome tu lóbulo derecho.
"Es una pena", contestaste
mientras me chupabas succionabas
mis labios inferiores.
Y no encendimos el televisor

ni la radio el resto del día,
de modo que no tendremos nada que contar
a nuestros descendientes
cuando nos pregunten
qué estábamos haciendo
el once de septiembre del año dos mil uno,
cuando las Torres Gemelas se derrumbaron sobre Nueva York.

# Habitación de hotel
## (2007)

* Este libro recibió el XI Premio de Poesía Ciudad de Torrevieja en el año 2006.

# MI CASA ES LA ESCRITURA

En los últimos veinte años
he vivido en más de cien hoteles diferentes
(Algolquín, Hamilton, Humboldt, Los Linajes,
Grand Palace, Victor Alberto, Reina Sofía, City Park)
en ciudades alejadas entre sí
(Quebec y Berlín, Madrid y Montreal, Córdoba
y Valparaíso, París y Barcelona, Washington
y Montevideo)

siempre en tránsito
como los barcos y los trenes
metáforas de la vida
en un fluir constante
ir y venir

No me creció una planta
no me creció un perro

sólo me crecen los años y los libros
que dejo abandonados por cualquier parte
para que otro, otra
los lea, sueñe con ellos.

En los últimos veinte años
he vivido en más de cien hoteles diferentes

en casas transitorias como días
fugaces como la memoria.

¿Cuál es mi casa?
¿Dónde vivo?
Mi casa es la escritura
la habito como el hogar
de la hija descarriada
la pródiga
la que siempre vuelve para encontrar los rostros conocidos
el único fuego que no se extingue.

Mi casas es la escritura
casa de cien puertas y ventanas
que cierran y se abren alternadamente
Cuando pierdo una llave
encuentro otra
cuando se cierra una ventana
violo una puerta
Al fin
puta piadosa
como todas las putas
la escritura se abre de piernas
me acoge me recibe
me arropa me envuelve
me seduce me protege
madre omnipresente.

Mi casa es la escritura
sus salones sus rellanos
sus altillos sus puertas que se abren

a otras puertas
sus pasillos que conducen a recámaras
llenas de espejos
donde yacer
con la única compañía que no falla:
las palabras.

## LA INVENCIÓN DEL LENGUAJE

Ebrias de lenguaje
como antiguas bacantes
borrachas de palabras
que endulzan o hieren

pronunciamos las palabras amadas
—carne, voluptuosidad, éxtasis—
en lenguas diversas —joie, goia, happiness—
y evocamos el goce y la dulzura
de las antiguas madres
cuando balbucearon
por primera vez
los nombres más queridos.

Las madres
que bautizaron los ríos
los árboles las plantas
las estrellas y los vientos

que dijeron ultramar
y lontananza

Las madres que inventaron nombres
para sus hijas y sus hijos

para los animales que domesticaron

y para las enfermedades de los niños

que llamaron cuchara a la cuchara
y agua al líquido de la lluvia

dolor a la punzada de la ausencia

y melancolía a la soledad.

Las madres que nombraron fuego
a las llamas
y tormenta a la tempestad.

Ellas abrieron sus carnes para parir
sonidos que encadenados formaron palabras
la palabra cadena
y la palabra niebla

la palabra amor
y la palabra olvido

Saben
desde el comienzo
que el lenguaje
es grito de la voz que se hace
pensamiento
pero nace, siempre
de la emoción
y del sentimiento

# MI CASA ES LA ESCRITURA II

La A me acoge amparadora
como un arca
la B me bautiza
y —baúl— me encierra
la C me cautiva
cálida cortesana
La D destila drogas
—adormidera—
la E, como un emblema,
me elige, me embaraza
y me eyacula:
la F, femenina, fabula
fantasías y fracasos;
la G me guarda y me gobierna;
la H husmea, me humilla
me humedece;
la I me invita, me instala,
me imita, me imagina;
la J jadea a mi costado,
me jala y me jarrea;
la L labra y lame mi cuerpo
con lazos y con lianas;
la M, madre melancólica,
merodea mis días;
la N narra, narra, narra,

nana inacabable de hombres
de mujeres y de niños;
la O opone la voz al silencio,
la opulencia del léxico
a la estrechez del sentido;
la P permanece, sólidamente
preguntando:
la Q quiere y no puede,
y cuando puede, no quiere;
la R responde rabiosamente
a la realidad con los sueños;
la S sibilina sueña sermonea
sobresalta
sabe que nos sabe
la T tiembla
y toca lo que teme
la U unge en lo umbrío
el verso vagoroso que vuela
con el viento
la Z zumba en mis oídos
las zalamerías de tu risa
que engaña cada noche.

## LA VIDA SEXUAL DE LAS PALABRAS

Saxo y sexo: jazz
celo y cielo: paraíso
Trieste y Dostoievsky: jugador
voz ma—tierna: mimo
la tuba turba
la loba al lupanar
y el muerto al hoyo
la musa es la suma
meterle al fósil metamorfosis
por amor se escoge el amo
lamo la mano que amo
el texto atesta
pero la palabra
abracadabra
abre las casas
las cosas
sin las cuales
osar hablar
es de poetas.

## NOCTURNO URBANO

Extraña civilización esta
en la cual a las dos de la mañana
de cualquier martes
de cualquier jueves
o domingo
dieciocho mil tipos y tipas
según los cálculos del ordenador
están enganchados a pasatiempos infantiles
("disponga las figuras en sus huecos respectivos")
cincuenta y seis mil
a guerras de marcianitos
ochenta mil a simulacros de fútbol
en lugar de hacer el amor

digo hacer el amor, no digo follar,

atención, los de la Academia:
follar follan los perros los jabalíes
las marsopas las moscas los elefantes
y los rinocerontes.

Extraña civilización esta
en la cual a las dos de la mañana
de cualquier martes
de cualquier jueves

o domingo
cientos de miles de personas
están circulando por la red
con mensajes abreviados
en lugar de tocarse
mamarse lamerse acariciarse.

Como un regreso a la infancia.

Lugar que quizás nunca abandonaron.

## ARQUEOLOGÍA AMOROSA

La ciudad está viva
porque en noches de amor
levantamos su plano
arqueólogas del pasado
reconstruimos su historia
pisamos sus ruinas antiguas
contemplamos admiradas
sus templos contemporáneos
y nos amamos en los portales
y nos deseamos en sus tiendas
de todo a cien
y la asediamos
con los ejércitos del deseo.

Las cafeterías en penumbra
a la salida del cine Verdi
los árboles oscuros de la Diagonal
una vieja mercería donde venden camisetas
de algodón de todos los colores
la heladería de la calle Córcega
donde los emigrantes compran
grandes copas de tutti fruti
por euro y medio

el locutorio con carteles de playas del Caribe
y tarjetas de descuento telefónico

la esquina de la psicoanalista

el portal del Gótico húmedo
con olor a orines

la confitería de las tres vestales
catalanas
vírgenes y mártires

vos y yo temblando de emoción
en cualquier callejón oscuro
o en la peluquería
fetiches del amor
como la fusta de cuero
la braga de látex
y aquel corset negro
copiado de un cómic
sadomasoquista
que compré en un sexshop en rebajas

abalorios del amor
cuentas perdidas.

# FIN DE AÑO EN EL AEROPUERTO

Noche del treinta y uno de diciembre
en el solitario aeropuerto iluminado
como un gran árbol de Navidad.

Se escuchan los tenues pasos
de pilotos que desembarcan
rumbo a casa
cargados de paquetes
y las rubias azafatas se deslizan
por la cinta mecánica
como por la pasarela de modelos.

Los últimos viajeros
se apresuran a salir
antes de que den las doce
y un año suceda a otro
como las hojas de árboles (Homero: *cual la generación de
las hojas
así la de los hombres*).
Yo, sin embargo, permanezco.
He encontrado la tierra de nadie
donde el tiempo transcurre sin angustia
detenido como un cuadro
útero materno del cual no salir
porque afuera hace frío

hace soledad
hace la guerra
hacen las hipócritas fiestas
de los que aparentan ser felices.

Cuando todos se hayan ido
me miraré en la gran vitrina
del aeropuerto en penumbra
como una iglesia
pasajera que no va a ninguna parte.

Los aviones reposan en la pista,
ídolos caídos de una religión
sin sacerdotisas.

# LITERATURA II

"Todo lo conviertes en literatura"
me reprochas, llorando

"cuando te deje, seguro que escribes
una novela contra mí"

no exageres, mujer,

no da para una novela

quizás sólo para algún poemita

que luego leeré en público

y nadie sabrá que eras tú.

"Todo lo conviertes en literatura"
me reprochas, llorando

"cuando te deje vas a escribir contra mí"

entonces no me dejes
te digo, besándote los ojos.

## PRIMERA CITA

Esta noche
al encontrarnos

he vuelto a sentir al animal oscuro
que habita en mí

disimulado entre los afeites
de la cultura
y la urbanidad

en los meandros de la melancolía

te vi
y el animal oscuro
clavó sus ojos
en la curva insinuante de tus senos.

Hablábamos de pintura
de libros
de cine
para disimular la excitación

No es bueno
no es bueno sólo a veces
—no es urbanita—

saltar sobre las aceras
saltar sobre las mesas
y las sillas
precipitarse entre tus piernas
abiertas como compás
enfundadas en medias negras

y además
era una cafetería finolis
donde un ron con coca-cola
cuesta veinte euros.

No es bueno
no es bueno sólo a veces
precipitarse sobre un par de senos
desbordados
como las aguas blancas de un río de leche.

Esta noche
al encontrarnos
por vez primera
fui educada
muy sofisticada
no me abalancé sobre vos
hablamos de pintura
de la Feria de Arco
y de novedades editoriales

pero la conversación
realmente se animó
con el sadomasoquismo

ah, mujer, pensé
así que te va la marcha
así que te gustaría que te atara
al borde de la cama
con cuerdas de hilo retorcido
y te diera breves
firmes latigazos
con una fusta negra y púrpura
como las de azotar caballos

—yo vestida de varón, tú de mujer—

"En la cama dejo de lado el feminismo"
me dijiste

de acuerdo, yo también dejo de lado el feminismo
y cojo la fusta
te golpeo firme
dulcemente
tú chillas como marrana.

Esta noche te lo juro
volví a sentir al animal oscuro
el animal bramó
el animal saltó
me reconoció
viejo amigo
reapareces
estuviste encerrado tanto tiempo
y ahora que has vuelto a salir de la madriguera
tienes que saber:

una mujer a quien le gusta la fusta
nos espera
al borde de la cama
ella desnuda
yo vestida de varón

barrio del Born, por más datos

pero antes, me ha dicho,
está dispuesta a cocinar para nosotros
una comida muy afrodisíaca, ha dicho,
textualmente.
Aprovéchate, animal.

## ASOMBRO

"Enséñame", dices, desde tus veintiún años
ávidos, creyendo, todavía, que se puede enseñar alguna cosa

y yo, que pasé de los sesenta
te miro con amor
es decir, con lejanía
(todo amor es amor a las diferencias
al espacio vacío entre dos cuerpos
al espacio vacío entre dos mentes
al horrible presentimiento de no morir de a dos)

te enseño, mansamente, alguna cita de Goethe
("detente, instante, eres tan bello")
o de Kafka (una vez hubo, hubo una vez
una sirena que no cantó)

mientras la noche lentamente se desliza hacia el alba
a través de este gran ventanal
que amas tanto
porque sus luces nocturnas
ocultan la ciudad verdadera

y en realidad podríamos estar en cualquier parte
estas luces podrían ser las de New York, avenida
Broadway, las de Berlín, Konstanzerstrasse,
las de Buenos Aires, calle Corrientes

y te oculto la única cosas que verdaderamente sé:
sólo es poeta aquel que siente que la vida no es natural
que es asombro
descubrimiento revelación
que no es normal estar vivo

no es natural tener veintiún años
ni tampoco más de sesenta

no es normal haber caminado a las tres de la mañana
por el puente  viejo de Córdoba, España, bajo la luz
amarilla de las farolas,

no es natural el perfume de los naranjos en las plazas
—tres de la mañana—

ni en Oliva ni en Sevilla

lo natural es el asombro

lo natural es la sorpresa

lo natural es vivir como recién llegada

al mundo

a los callejones de Córdoba y sus arcos

a las plazas de París

a la humedad de Barcelona

al museo de muñecas

en el viejo vagón  estacionado

en las vías muertas de Berlín.

Lo natural es morirse

sin haber paseado de la mano

por los portales de una ciudad desconocida

ni haber sentido el perfume de los blancos jazmines en flor

a las tres de la mañana,

meridiano Greenwich

lo natural es que quien haya paseado de la mano

por los portales de una ciudad desconocida

no lo escriba

lo hunda en el ataúd del olvido.

La vida brota por todas partes
consanguínea

ebria

bacante exagerada

en noches de pasiones turbias

pero había una fuente que cloqueaba

lánguidamente

y era difícil no sentir que la vida puede ser bella

a veces

como una pausa

como una tregua que la muerte

le concede al goce.

# Playstation
## (2009)

---

\* Este libro recibió el XXI Premio Internacional de Poesía Fundación Loewe, en 2008.

# FIDELIDAD

A los veinte años, en Montevideo, escuchaba a Mina
cantando Margherita de Cocciante
en la pantalla blanca y negra de la Rai
junto a la mujer que amaba
y me emocionaba

A los cuarenta años escuchaba a Mina
cantando Margherita de Cocciante
en el reproductor de cassettes
junto a la mujer que amaba,
en Estocolmo
y me emocionaba

A los sesenta años, escucho a Mina
cantando Margherita de Cocciante
en Youtube, junto a la mujer a la que amo,
ciudad de Barcelona
y me emociono

Luego dicen que no soy una persona fiel.

# FIDELIDAD II

En esos cuarenta años
han pasado algunas cosas
murieron Marilyn el Che
Kennedy y Luther King
Cortázar escribió Rayuela
García Márquez Cien años de soledad
cayó el muro de Berlín
y cayó la Unión Soviética
la gente empezó a pincharse
algunos ganaron mucho dinero en la Bolsa
hubo un escándalo por una mamada que alguien le hizo a
      Clinton
alguien que no era su esposa
las esposas no hacen esas cosas

hubo mucha  hambre en África y en Sudán
los chinos no dejaban tener más que un hijo
con preferencia varón
y en Asia infibulaban a las niñas

Yo seguía escuchando a Mina

cantando Margherita de Cocciante

y a las mujeres que yo amaba les gustaba

En esos cuarenta años
pasaron algunas cosas
tsunamis campeonatos de fútbol
desaparecidos en Argentina en Uruguay
en Chile
más hambrunas

también hubo una princesa que murió en un accidente de
    auto
o la asesinaron

siempre hay cosas así

en España mataban  a varias mujeres por día

hombres que decían haberlas amado
También hubo una guerra en los Balcanes
Estados Unidos invadió Irak

después mataron a Sadam Hussein
que había matado a muchos más

Yo seguía escuchando a Mina
cantando Margherita de Cocciante

y a las mujeres que amaba les gustaba

Murió Antonioni
que había hecho películas sobre la incomunicación
el gran tema del siglo XX
(el tema de dos Guerras Mundiales)

Yo seguía escuchando a Mina cantando Margherita
de Cocciante

y a las mujeres que amaba les gustaba

Murió Simone de Beauvoir
que había descubierto el Segundo sexo

Bill Gates inventó internet

muchísima gente que no conocía
empezó a enviarme emails
que yo no contestaba

Me dijeron que el Google era mejor
que la Enciclopedia Británica
pero yo no me lo creí

Un mensaje decía: Usted acaba de tener el honor
de ser incluida entre los mil mejores autores vivos del
    mundo

(¿por cuánto tiempo estaré entre los mil vivos?)

Yo escuchaba a Mina cantando Margherita
de Cocciante

y a las mujeres que amaba
les gustaba.

# ANOCHE TUVE UN SUEÑO

Anoche soñé que hacía el amor con mi madre
mejor dicho
no conseguía hacer el amor con mi madre
porque siempre venía alguien a interrumpirme
con alguna tontería

mi madre estaba desnuda
y era muy guapa
siempre ha sido muy guapa
hasta en la vejez

debía de tener veintiséis años
la edad que tenía cuando yo nací

y estaba desnuda
completamente desnuda

me gustaba mucho mi madre
pero siempre aparecía alguien
dispuesto a interrumpir
así que yo me demoraba

No se lo contaré al psicoanalista
me dirá que esa no era mi madre
a pesar de tener la apariencia de mi madre

a los psicoanalistas les gusta mucho
que las cosas no sean lo que son
les pagan para eso.


## II


Igual al otro día fui al psicoanalista
y le conté un sueño
le conté que me acostaba con una mujer
joven
más joven que yo
tenía veintiséis años
entonces el psicoanalista
me dijo que esa mujer no era otra mujer
como yo creía en el sueño
en realidad —dijo—
la mujer con la que soñó que se acostaba
era su madre.


## III


Me pasé un mes
preguntándole a toda clase de personas
—hombres y mujeres—
si habían soñado que se acostaban con sus madres
y ellos
—hombres y mujeres—

me decían que no
que de ninguna manera
ellos y ellas no soñarían con esas porquerías

—una sucia cosa de esas—

hasta que me di cuenta
de que no tenían madres guapas.

## PARA QUÉ SIRVE LA LECTURA

Me llaman de una ciudad
y me piden que escriba
cinco folios sobre la necesidad de la lectura

No pagan muy bien
¿quién podría pagar bien por un tema así?
pero de todos modos
necesito el dinero

así que enciendo el ordenador y me pongo a pensar
sobre la necesidad de la lectura
pero no se me ocurre nada

es algo que seguramente sabía cuando era joven
y leía sin parar
leía en la Biblioteca Nacional
y en las bibliotecas públicas

leía en las cafeterías
y en la consulta del dentista

leía en el autobús y en el metro

siempre andaba mirando libros
y me pasaba las tardes en las librerías de usados

hasta quedarme sin un duro en el bolsillo

tenía que volver a pie a casa

por haberme comprado un Saroyan o una Virginia Woolf

Entonces los libros parecían la cosa más importante de la
    vida

fundamental

y no tenía zapatos nuevos
pero no me faltaba un Faulkner o un Onetti
una Katherine Mansfield o una Juana de Ibarbourou

ahora la gente joven está en las discotecas
no en las bibliotecas

yo me hice una buena colección de libros
ocupaban toda la casa

había libros en todas partes
menos en el retrete

que es el lugar donde están los libros
de la gente que no lee

a veces tenía que seguirle durante mucho tiempo
las huellas a un libro que había salido en México
o en París
una larga pesquisa hasta conseguirlo

No todos valían la pena
es verdad
pero pocas veces me equivoqué
tuve mis Pavese mis Salinger mis Sartre mis Heidegger
mis Saroyan mis Michaux mis Camus mis Beaudelaire
mis Neruda mis Vallejo mis Huidobro
para no hablar de los Cortázar o de los Borges

siempre andaba con papelitos en los bolsillos
con los libros que quería leer y no encontraba

por allí andaban los Pedro Salinas y los Ambrose Bierce
la infame turba de Dante

pero ahora no sabía decir para qué maldita cosa
servía haber leído todo eso

más que para saber que la vida es triste

cosa que hubiera podido saber sin necesidad de leerlos

Cuando habían pasado cinco horas yo todavía no había
        escrito
una sola línea
así que me puse a escribir este poema
Llamé a los de la editorial
y les dije creo que para lo único que sirve
la lectura
es para escribir poemas
no puedo decirles más que eso

entonces me dijeron que un poema no servía
que necesitaban otra cosa.

## PESADILLAS

La cosa es siempre así

desde hace muchos años:

sueño que tengo que cuidar a un perro

pero por un motivo u otro
se me olvida darle de comer

y el bicho comienza a adelgazar

hasta que se muere

y no puedo hacer nada para salvarlo


a veces no es un perro

a veces es un gato


a veces no es que me olvide de darle de comer

sino que enferma y muere
sin que pueda hacer nada

242

y si no es un perro o un gato
son peces de colores

se me van por el fregadero
cuando cambio el agua


En todos los casos soy culpable
hay algo que no hice
o dejé de hacer

y despierto angustiada
amargada
de malhumor

paso el resto del día rumiando malos pensamientos
recuerdos dolorosos

la vez que mi perra murió
por la picadura de una garrapata
(borreliosis)

o cuando mi padre mató y asó
al cordero que me hacía compañía

y yo usé durante mucho tiempo
un abrigo hecho de lana

Pero anoche soñé
con dos mujeres
estaban enrolladas entre sí
y una me gustaba

justo cuando venía a verme
abrí la puerta
y mi perro se escapó

lo vi salir corriendo

escaleras abajo

y en el rellano se juntó con otros perros
era una manada de perros escapados

Pensé que los mataría un coche
o la perrera


pero la mujer que me gustaba
llamó por teléfono

y nos dijeron que fuéramos a buscar a mi perro

lo habían atrapado en la perrera

todavía podía salvarlo

Cuando llegamos me dieron un perro pequeñito

había disminuido mucho

agonizaba

y no quería comer

Yo no estaba segura de que fuera mi perro
pero me lo llevé a casa

ella estaba contenta porque habíamos conseguido salvarlo

Pero el perro no quiso comer y se murió.

Iba a contárselo a un psicoanalista
pero resultaba muy caro

entonces escribí este poema.

## EPITAFIOS

Un editor me pide
que escribiera gratis mi epitafio
Prepara un libro con epitafios
de varios autores vivos

—qué idea más macabra
debe de habérsela copiado
a un editor anglosajón—

Seguramente el editor no sabe
que hace veinte días
me atropelló un auto
y estoy postrada
la pierna derecha en alto
una fractura
un hematoma interno
una quemadura de tercer grado

(el auto no me hubiera dado tiempo
a escribir mi epitafio)

Rechazo la idea

pero al cabo de un tiempo me hace gracia
así que le envío un email

con mi epitafio
"Si no pedí que me trajeran
¿por qué me echan?"

# BARCELONA RINDE HOMENAJE A J. G. BALLARD

*(El Centro Cultural Barcelona inaugura una
exposición sobre el escritor J.G. Ballard.*
De los diarios)

Llueve. Hoy es sábado y por fin llueve

muy lentamente

casi no llueve

es un cielo estreñido. Sólo deja caer unas pocas gotas
cada ocho o nueve meses

Ahora llevábamos trece meses sin llover

Ayer un contenedor con un líquido tóxico se rompió
en el puerto de Barcelona

y contaminó la ciudad
como en una novela de Ballard

las autopistas se colapsaron
(una p en medio,
una palabra con atasco)

Una amiga me llamó

No salgas, me dijo
no abras puertas ni ventanas
no sea que pilles una alergia química

no encendí la radio ni el televisor
—nunca los enciendo—

yo sólo quería saber cómo se llamaba la sustancia
—como en una novela de Ballard—

Era dimetilamina
dime-til-amina
dimematilde
dimelamina
mialamina
nimialamina

una contaminación química
con nombre de mujer

Y hoy sábado
amaneció lloviendo

a oscuras
en la habitación
escuchaba resbalar los autos

no encendí la radio ni el televisor
para poder oír el agua

único sonido amable en la ciudad

el espacio de los sueños no tiene espacio
ni hora ni día

no tiene tiempo

es la eternidad del fluir

por lo menos
eso ocurre
en las novelas de Ballard

donde un contenedor se rompe
y contamina la ciudad.

# I LOVE CRISTINA PERI ROSSI

En el portal de Amazon
aparece mi nombre

al lado de Michael Jackson
Madonna y George Clooney

venden camisetas en tres tallas
(pequeña mediana mayor)
para hombres mujeres niños o niñas

las camisetas blancas
tienen una inscripción
en letras rojas: I love Michael Jackson
I love Madonna
I love George Clooney
I love Cristina Peri Rossi
mi nombre es más largo
ocupa más espacio

Me pregunto quién habrá tenido
la alocada idea de quererme en camisetas
de Amazon

Sólo me gusta el No llores por mí Argentina
de Madonna

y detesto a George Clooney
(Michael Jackson me un poco de lástima
tuvo una infancia difícil, como yo)

Al otro día las camisetas siguen allí
en el portal
a quién se le habrá ocurrido
que me ama tanta gente

como no me lo termino de creer

compro un par de camisetas I love
Cristina Peri Rossi

—A ver si haces un poco de dinero
—dice mi amiga— que la literatura
no da para comer
—parece que puede dar para vestirse un poco
pienso

A los quince días llegan por correo
las camisetas I love Cristina Peri Rossi

dos por cincuenta dólares más diez de envío
Pienso que amarme no es tan caro
podría ser mucho peor

Mi abogado dice que es inútil poner una demanda
Amazon no contesta
tiene una respuesta robot para todos igual

no sé a quién regalarle las camisetas

A mí, mi amor me queda grande.

# EXPERIENCIA ESPIRITUAL

Me dijo que andaba buscando una experiencia espiritual

una cosa muy seria

en el mundo había como dos mil religiones

sin contar las sectas


pero ella quería otra cosa

"yo quiero una experiencia espiritual"

me dijo


creo que de eso yo no tenía

había tenido experiencias de guerra
de revoluciones experiencias sensoriales
experiencias musicales experiencias laborales

salvo que consideráramos que extasiarse frente a un
naufragio de Turner
o de Caspar David Friedrich

fuera una experiencia espiritual

salvo que leer a J. G. Ballard

o los poemas de Vallejo

fueran experiencias espirituales

también había tenido experiencias con atardeceres
esplendorosos en el Puerto de Santa María

y la luz del Sur, la abrillantada luz del Sur,

pero me dijo que no se trataba de nada de eso

no se trataba  de la tristeza que me producían los Estudios
de Chopin

o las Gimnopedias de Satie que ahora están en los móviles

me dijo que era otra cosa

Después se fue a la India

y yo no la seguí

porque ya he visto mucha miseria en este mundo

sin alcanzar el grado de espiritualidad necesario

Pasó  como dos años en la India

y cuando volvió

estaba más flaca

¿Qué haces? —me dijo

Lo de siempre, le contesté

Escribo algunas cosas leo un poco juego al maghon por
Internet

a veces me atropella un auto

pero en general, sigo sin tener experiencias espirituales

así que le pregunté cómo le había ido por la India

y me contestó que bien

muy bien

había tenido una experiencia espiritual

—dijo—

que volvía irrisorios y frívolos

todos los orgasmos.

Pensé que para eso no era necesario  ir a India

bastaba con haber alcanzado la menopausia.

## FORMAR UNA FAMILIA

Aquella mujer me gustaba mucho
pero me propuso que formáramos una familia

ella ya tenía un hijo
de su primer marido

tenía padre madre hermanos y primos

Otra familia me parecía una redundancia

¿Para qué quieres otra familia? —le contesté
¿Para que vea cómo tu hijo no baja la tapa
del retrete por miedo oculto a la castración
y cómo tu hermana no cierra la puerta del baño
para no perderse nada de lo que ocurre en el salón?


¿Esa es tu idea de una familia?
me preguntó
No, además tenía otras ideas:
gente con la cual yo no me tomaría un café
si no mediara un parentesco
gente que discute por dinero
propiedades cuentas bancarias
gente que no se habla por un asunto

de reparto de sillas o de sofás
y que se reúnen una vez al año
—por Navidad—
sin tener ganas
y se pasan la noche anterior
y el veinticinco de diciembre
comiendo y bebiendo


y haciendo mucho ruido.

¿Tú que haces por Navidad? —me preguntó, entonces.

Busco una emisora de música clásica
—le dije—


y juego a la playstation.

# La noche y su artificio
## (2015)

## LA NOCHE Y SU ARTIFICIO

Amo la noche y su artificio
ausente la luz diurna
brillantes los faros
soliloquio de semáforos
que guiñan sus tres ojos
y parpadean en la inmensidad nocturna
negra como mar
Amo la noche y su artificio
la moche maquillada
la noche ebria de desconocidos
abrazados a los últimos árboles
como a viudas
suspendidas las certezas del día
suspendidas las rutinas de la vigilia

la noche feroz
de borrachos que pelean por un culo de botella
la noche de mujeres hombres
y de hombres mujeres
embriagados
en soñadora confusión original
confusión de óvulos y deseos
de espermatozoides y sueños imposibles

la noche feroz y sentimental
de emociones intensas y soledades íntimas

la noche argumental como una película antigua
la noche solitaria del gato huérfano
y sin abrigo

la noche que nos elevaba al paraíso
con los brazos en cruz
mientras te amaba
mientras me amabas
y la eternidad acariciaba nuestros cuerpos fundidos
pátina de belleza
derramada sobre la mejilla el libro
el espejo las voces
y la pequeña cicatriz de tu pie
invisible
para los amantes bruscos y desatentos

Amo la noche de los amores sacros
como el vino y el pan
como el cáliz y la hostia

La noche de los amores
que duran toda la vida
la vida de unas horas
la vida de un minuto

soñadores de artificios
que se destruyen
con la luz del día

cuando todo vuelve a la normalidad
es decir
al plástico y a facebook.

# BARCELONA, NOCHE

Regreso tarde
a la noche tarde
los árboles sombríos y sin hojas
tarde
los letreros luminosos de La Caixa
rotando
como los ojos de un sapo enloquecido
—tarde—
regreso —tarde—
Nadie por las calles oscuras
calles vacías
neones luminosos
astros encendidos de un mar oscuro
alarido de una sirena célibe
Regreso tarde
el escenario vacío
sin gente
y yo le hablo a la ciudad
le digo cosas
te amo te quiero testimo
aunque sé que esa noche
—tarde—
tampoco Barcelona
será mía
como una mujer histérica

cuanto más la amas,
más se esconde.

# PRIMERA TORMENTA

Te asomas desde el gran ventanal
sobre la ciudad
(las agujas de la Sagrada Familia,
la torre Agbar y el triángulo gris del mar)
a esa hora incierta en que la noche no es
todavía día
y de pronto el cielo se cubre
de luces raras
de ocres pálidos y aluminio
Un trueno ruge lejos
como si viniera de una catacumba

Te digo: "Es nuestra primera tormenta"
mientras, desnuda, miras la rara
conflagración de cielo y mar


la primera tormenta
la primera noche
el primer día de la Creación


descalza te asomas al gran ventanal
y toda la Creación parece de pronto
tener sentido

en el sofá o arca de Noé
donde navegamos hacia el futuro
con nuestros pequeños animales familiares

el puma que repta
el león que ruge
y la pequeña mariposa
del sexo
que palpita en su vuelo iniciático.

# EL AMOR EXISTE

El amor existe
como un fuego
para abrasar en su belleza
toda la fealdad del mundo.

El amor existe
como un presente de las diosas
benignas
a quienes aman la belleza
y la multiplican,
como los panes y los peces.

El amor existe
como un don
sólo para quienes están dispuestas
a renunciar
a cualquier otro don.

El amor existe
para habitar el mundo
como si fuera
el paraíso
que un amante distraído perdió
por pereza
por falta de sabiduría.

El amor existe
para que estallen los relojes
lo largo se vuelva corto

lo breve infinito

y la belleza borre
la fealdad del mundo.

# VIVIR DOS VECES

La memoria es una sobrevida.
Mientras me inclino para besarte
para acariciar tus senos
pienso en la sobrevida
que me sobrevendrá
en tu memoria

viviré más allá de mis años
en el escorzo de tu cuello tan blanco
como la luz lunar
una noche, en Calella,
mes de agosto,
año dos mil seis,

viviré más allá de mis años
en tu memoria de mujer nocturna
que mira desde el lecho
la ventana por donde una ciudad como un cuadro
de Richard Estes enciende y apaga sus luces

en medio de los carteles de Bancos y de Cajas
de autos y de oficinas

Viviré más allá de mis años
en tu memoria
de mujer que al amarme se ama en mi amor

y recordarás el edredón de plumas
con el que cubrías tu desnudez

y la botella de agua que se caía en medio de los besos

y la luz del televisor mudo
que iluminaba blancamente nuestros cuerpos
oscureciéndolos a veces


La memoria es una sobrevida.
Mientras me inclino para besarte
sé que vivo dos veces
la vez de esta noche tibia de otoño
en la que te acaricio con las manos
con los dedos con el pensamiento y con la voz
y la sobrevida de tu memoria
donde nos amamos
más allá del tiempo
en medio de la ciudad iluminada
y silenciosa
que no duerme
porque estamos en vigilia
vigilia del goce
vigilia de amor.

# DETENTE, INSTANTE, ERES TAN BELLO

Como el joven Fausto seducido por Mefistófeles
al inclinarme sobre tu cuerpo
al besar tu sonrisa
al encender tus senos como faros de Alejandría
dije: "Detente, instante, eres tan bello"
y todo en mí era una ola precipitándose
sobre el tiempo
para volver el aire roca
para volver la sábana cielo
para volver el instante un siglo
y todo en mí era aspiración
la aspiración de retener lo pasajero
el ímpetu de atrapar lo fugitivo
más allá de Heráclito y sus revelaciones
y todo en mí era vocación de permanencia
estar y no pasar
fijar y no desvanecerse
como en El grito de Munch
la boca abierta sigue gritando
como en el retrato de la esposa de Giocondo
la joven sigue sonriendo eternamente

hasta que comprendí
otra vez
que soy mortal

que sos mortal
o sea fugitivas perecederas
frágiles volubles mutantes

y sólo queda entonces
el deseo.
El inmenso deseo de volver
a la sábana roja
a la tarde de sábado o domingo
al restaurante de luces y de espejos
siendo sin embargo más viejas
más antiguas
más sabias
o más cautas
para repetir el ruego del joven Fausto:
"Detente, instante, eres tan bello".
Mefistófeles faltó a la cita
y yo, Mefistófela, la escribo.

# COMUNIÓN IV

Como los guerreros antiguos bebían
la sangre
de sus rivales muertos

yo me bebo tu sangre menstrual

y soy tu hermana

tu amante y tu pariente

aquella que al beberte
adopta tus gestos
tus palabras
tus virtudes

aquella que establece un pacto de honor
y de amistad

que ningún falo destruirá

ni el falo de la espada

ni el falo del poder

ni el falo del dinero o de la fama

y el ejército de falitos

como un priapismo mortal.

# CAMELLO

Dicen los poetas árabes
que el destino es el vagar de un camello ciego.

Como un camello ciego
he recorrido ciudades anchas como océanos

como un camello ciego
me he perdido en ciudades estrechas como lupanares

como un camello ciego
aprendí lenguas que no eran las mías

y supe su sabor su dulzura su rudeza
su esplendor y su opacidad

como un camello ciego
enfermé hasta morir
y sobreviví hasta renacer

como un camello ciego creí
tuve ideas
tuve sentimientos
y los cambié por otros
los abandoné

Pero ahora
mi camello ya no es ciego
conoce su destino

las playas húmedas de tus muslos
la arena de tus labios
la seda de tu vientre
el agua dulce del cántaro de tu boca
y el salitre de tu concha marina
entre las piernas.

# TIERRA DE NADIE

Ahora que todas las regiones
quieren ser naciones
yo busco la tierra de nadie
un lugar sin nombre
que nadie reclame
un lugar de paso
transitorio como la vida misma
sin patria
sin banderas
sin fronteras
sin lengua identitaria
más que la lengua de la poesía.
Territorio de los sueños
donde todo está por empezar
donde todo está por explorar.

# DE LA POESÍA COMO MÚSICA

Ninguna vanidad en este oficio
de armonizar palabras
como los sones de un instrumento antiguo;
ninguna vanidad en tocar la *a*
—arpa—
en escribir, como con notas musicales
la dulce *Babilonia*
o el cálido *cobre* —elemento químico
número veintinueve, buen conductor
del calor e instrumento de viento—

Ninguna vanidad en el sonido cristalino del agua
en las calles de Bonn
aquella mañana en la que la ciudad se abrió
como una caja de música
y te dije "Hace años que no escucho una música
tan pura"

Ninguna vanidad en el poesía,
en la humildad de un cántaro de agua fresca,
en la cascada que cae entre verdores vegetales

Ninguna vanidad en el ulular del viento
que azota los cristales
—cuerda y percusión—

Ninguna vanidad en ordenar palabras
como las teclas de un piano antiguo
—cuando el holandés Juan Hazen Hosseschrueders
urdía las cuerdas del telar—


ninguna vanidad en imitar el sonido del viento
o de la ola en Isla Negra
donde el mar y El Poeta conversaban
quedamente:


palabras son sonidos
y sonidos son
emociones de las vísceras,
lamento de la mente
angustia de moribundos
frenesí de enamorados
monedas de intercambio
entre una soledad y otra.

## CONDICIÓN DE MUJER

Deshechas, reventadas, violadas,
maltratadas, heridas, reventadas,
crucificadas, reventadas, desangradas,
reventadas, perseguidas, torturadas

SALVAJES

CONSUMIDAS


Ya sin voz

sin fe
sin aliento

sin espera

Hablemos por sus voces
pronunciando lentamente cada letra:

M—U—J—E—R—E—S—D—E—J—U—A—R—E—Z:

JESUCRISTAS.

# ÍNDICE

283

## OTRA VEZ EROS (1994)

## AQUELLA NOCHE (1996)

## INMOVILIDAD DE LOS BARCOS (1997)

## HABITACIÓN DE HOTEL (2007)

## PLAYSTATION (2009)

## LA NOCHE Y SU ARTIFICIO (2015)